D1243411

09.06.05

Ein Löffelchen voll Zucker ...

... und was bitter ist wird süß!

Bibliografische Information Der Deutschen Bibliothek
Die Deutsche Bibliothek verzeichnet diese Publikation in der Deutschen Nationalbibliografie; detaillierte bibliografische Daten sind im Internet über http://dnb.ddb.de abrufbar.

Redaktion: Michael Büsgen
Lektorat: Lucía Rojas y Thelen
Produktion: Angelika Rekowski
Umschlagfoto: Sabine Bohlmann
Umschlaggestaltung: Veronika Richter
Layout und Satz: Metzgerei Strzelecki, Köln
Druck und Verarbeitung: Westermann Druck Zwickau GmbH
Printed in Germany
ISBN 3-8025-1642-7

www.vgs.de

Für meine besten Mitarbeiter
Jakob und Paulina.
Und für meinen besten Freund
Andreas.

»In jeder Arbeit steckt auch ein kleines bisschen Spaß.
Versteh den Spaß und Schnapp – die Arbeit klappt.
Denn was man voller Freude tut, schmeckt uns wie Kuchen gut.
So schafft ein Spiel, dazu gehört nicht viel.
Oft genügt ein Löffel Zucker und was bitter ist wird süß,
was bitter ist wird süüüüß, bitter ist wird süß,
wenn ein Löffelchen voll Zucker bittre Medizin versüßt,
rutscht sie gleich noch mal so gut.«

Mary Poppins

Inhalt

Vorwort

Neulich beim Bergsteigen (wir nennen es ›Bergsteigen‹, die Bergsteiger nennen es ›Spaziergang‹ und grinsen dabei) kamen mir zwei Familien entgegen. Die erste hörte ich schon von weitem. Zwei genervte Erwachsene zogen ein nölendes, nörgelndes, miesepetriges, sich sträubendes Etwas hinter sich her – ich erkannte beim Näherkommen, dass es sich um ein Kind handelte. Sie schimpften auf das Kind ein, es solle doch jetzt endlich vorwärts gehen: »Da will man einmal einen schönen Familienausflug machen und dann nur Genöle ...« Zusammen gingen sie mit ärgerlicher Miene dem Berg entgegen.

Die zweite Familie hörte ich auch schon von weitem, denn sie sangen ›Ein Hut ein Stock, ein Regenschirm‹. Plötzlich hüpften sie alle ein kleines Stück, auch der Papa (da fiel mir wieder auf, wie selten man hüpfende Erwachsene sieht), und hinter uns holten sie sich Wanderstöcke aus dem Gebüsch. Da hatte ich wieder den Beweis für mein Buch: Mit Spaß und Fantasie geht alles leichter, und den steilen Berganstieg merkt man gar nicht mehr. Sicher höre ich spätestens jetzt den einen oder anderen einwenden: »Warum soll man den Kleinen alles versüßen? Das spätere Leben ist auch hart und meist ohne Fantasie?« Also, erstens versüßt man nicht nur den Kindern, sondern gleichzeitig auch sich selbst ein wenig das Leben. Denn ich habe meistens die Wahl zwischen einer ernsten Auseinandersetzung (die natürlich auch hin und wieder sein muss, wenn alle Fantasie nichts nützt) oder einer Variante, bei der auch ich vom Spaß meiner Kinder profitiere und mit der ich ohne Ärger mein Ziel erreiche. Zweitens bin ich der Meinung, dass die Kinder dadurch auch fürs spätere Leben lernen können, sich unangenehme Dinge zu versüßen, nicht alles ganz so ernst zu nehmen und vielleicht sogar durch Humor den eigenen Chef zu verblüffen.

So suche ich auch ganz allein für mich Spaß in den unangenehmen Dingen, die nun leider erledigt werden müssen. Manchmal suche ich allerdings vergebens. Wenn also jemand einen Vorschlag hat, was beim Wäschezusammenlegen oder Geschirrspülerausräumen Spaß macht – her damit!

Ist Ihnen schon mal aufgefallen, dass Putzen mit Musik viel besser geht oder dass wahnsinnig süße, kleine Seifenblasen entstehen, wenn man

die Spülmittelflasche wieder hinstellt? Ein Lichtblick!

Meine Ideen und Vorschläge sind als Highlights gedacht, d.h. daneben muss es auch die Normalität des Alltags geben (ich habe lange ein deutsches Wort für den Begriff Highlight gesucht und bin zu dem Schluss gekommen, dass es wohl mittlerweile fast ein deutsches Wort ist). Denn ohne ›Lowlights‹ können sich keine ›Highlights‹ mehr abheben. Manches sollen Kinder eben einfach so tun, weil es nun mal getan werden muss. Außerdem habe selbst ich nicht immer Nerv und Zeit für Fantasie. Kinder müssen auch mal akzeptieren, dass man keine Lust hat oder zu müde ist.

Über mich:

Ich bin keine Psychologin! Ich bin eine Mutter, die einfach versucht, vieles mal ganz anders zu sehen und Verschiedenes auszuprobieren. Ich habe die Weisheit nicht mit Löffeln gefressen. Ich habe nur nie aufgegeben, sowohl die Kinder als auch uns Eltern zu beobachten und unser Handeln zu überdenken. Ich will nie aufhören, zu lernen und mich über Dinge zu wundern, auch wenn sie noch so alltäglich sind. Und ich will mir immer ein kleines Stückchen Kindheit bewahren.

Außerdem mag ich Listen. Ich habe ganze Listenbücher, in denen sich eine Liste an die andere reiht: Listen über Dinge, die ich tun muss, Dinge, die ich tun will, Ideen, die realisierbar sind, und solche, die nicht oder fast nicht realisierbar sind. Und ich liebe Pläne: Tagespläne, Wochenpläne, Pläne bis zu den Ferien und Pläne bis die Ferien wieder zu Ende sind. Ich liebe es aber auch, wenn alles anders kommt als geplant. Ich liebe es, Dinge anders zu sehen als sie sind. Und ich liebe es, Dinge in Geschichten einzubinden. Geschichten und immer wieder Geschichten.

Also, wundern Sie sich nicht über dieses Buch. Oder noch besser, wundern Sie sich!

Erziehung
mit Spaß und Fantasie

Alltägliches – mal anders formuliert

Der fliegende Teppich

Die Begebenheit, die mich zu diesem Buch inspirierte, war die
›Reise auf dem fliegenden Teppich‹. Jeder kennt diesen Ablauf
eines ganz gewöhnlichen Abends: Die Kinder spielen versunken im
Kinderzimmer, die Uhr bewegt sich auf Acht zu – höchste Zeit fürs
›Bettfertigmachen‹. Man steht also an der Kinderzimmertür und
ruft freundlich: »Kinder, es wird Zeit, Zähne
putzen!« – Keine Reaktion. »Kinder, kommt
jetzt bitte ins Bad!« – Keine Reaktion. Man
merkt, wie in einem langsam die Wut aufsteigt
und sich eine gewisse Hilflosigkeit ausbreitet
und hört sich sagen: »So, ich zähle jetzt bis zehn,
und wenn ihr dann nicht im Bad seid, gibt's
heute keine Gutenachtgeschichte!« Die Kinder
motzen, nölen, weinen. Man knipst wütend das
Licht aus, raunt noch ein ›Gute Nacht‹ und
setzt sich schlecht gelaunt aufs Sofa.
Wie kann ich es also anders machen, habe
ich mich gefragt. Es war so ein schöner
Tag, kann er nicht auch ohne Geschrei und
Gezeter enden.
Also schnappe ich mir eine kleine Decke, stelle mich vors Kinderzimmer, schleudere die
Decke in die Höhe und rufe (mit einem unde-
finierbaren ausländischen Akzent): »Derrrr
fliegende Teppisch, derrrrrrrrr fliegende
Teppisch, alles ainstaigen, Türrren schließen,

Vorrrrsicht bai derrr Abfahrt.« Neugierig gucken die Kinder
um die Ecke. Der fliegende Teppich liegt im Flur bereit. Die
beiden setzen sich drauf, schnallen sich imaginär an und los
geht der Flug durch unseren 10 Meter langen Flur bis ins
Bad. Die Kinder putzen schnell die Zähne, um den Rückflug
ins Kinderzimmer nicht zu verpassen und – schwupps –
liegen sie lachend im Bett. Oder haben Sie schon mal
versucht, das Kind ins Bett zu pusten? Sie werden
staunen, wie viel Kraft in Elternpuste steckt. Ziel er-
reicht, Spaß gehabt, was will man mehr?

> **Erst wer erwachsen wird
> und Kind bleibt, ist wirk-
> lich ein Mensch.**
> *Erich Kästner*

Hörst du schlecht?

Ein Erlebnis beim Arzt brachte mich zu der gleichen
Erkenntnis: Sollte man nicht viel öfter mal überlegen,
wie man seine Frage oder Bitte anders formulieren
kann? Schon allein, um sich und den Kindern das Leben
– und Hören – zu erleichtern.
Bei der ›U5‹ fragte mich mein Kinderarzt: »Hört er gut?«
Da musste ich erst mal länger überlegen. »Nicht wirklich!«,
war meine Antwort, und wir mussten beide lachen. Natürlich bestand Jakob den Hörtest gut. Trotzdem frage ich mich
immer noch, warum Kinder das Rascheln einer Bonbontüte
auf 10 Meter Entfernung hören und die auffordernde Stimme ihrer Mutter manchmal überhaupt nicht.
Vielleicht sprechen Kinder eine andere Sprache? Man sollte
sie nach dem dritten »Ziehst du dich bitte an?!«
mal fragen, ob sie möglicherweise

besser Chinesisch verstehen: »Kio ching hong jing?« Und ich wette mit Ihnen, manchmal verstehen Kinder ›Chinesisch‹ – oder ›Albernisch‹ – wirklich besser. Die Frage »Wer wagt sich an die frischen Cornflakes?« müsste demnach besser sein als ein bloßes »Frühstück ist fertig!«. Und »Wir bauen einen Schneemann« besser als »Wir machen einen Spaziergang«.

Wenn ich Geschichten erzähle, setze ich manchmal einen Hut auf, das hilft, die Gedanken zusammenzuhalten ...

Die sprechende Zahnbürste

Manchmal ist es aber auch gar nicht nötig, eine andere Sprache zu bemühen oder sich über die genaue Wortwahl Gedanken zu machen. Dann reicht es, den Dingen die Worte in den Mund zu legen. Oft kann man kleinen Kindern z. B. schwer begreiflich machen, wie wichtig bestimmte ›lästige‹ Tagesrituale wie das Zähneputzen sind. Dann hilft es unter Umständen, wenn die Zahnbürste mal selbst sagt, was zu tun ist. Manchmal mischt sich noch gleich Herr Kamm mit ein. Frau Zahnbürste erklärt nämlich Herrn Kamm, dass sie viel wichtiger ist als er. Doch Herr Kamm sagt, ohne ihn würden bald die Vögel ihre Nester auf den Köpfen der Kinder bauen. Da meint Frau Zahnbürste, das sei doch gar nicht so unchic. Von wegen, beschwert sich Herr Kamm, man stelle sich doch das Chaos vor: wild herumfliegende Vögel, die ihre Nester nicht mehr finden, da diese gerade einen Stadtbummel machen oder in der Schule sitzen oder in den Urlaub fliegen. Frau Zahnbürste stellt sich vor, wie die Zähne aussehen würden, wenn sie nie zum Zuge käme. Außerdem wäre sie dann arbeitslos, und sie liebt ihren Beruf doch so sehr. Frau Zahnbürste singt auch gerne alberne Lieder, während sie ihre Arbeit im Kindermund verrichtet: »Ich putze, ich putze, ich putze alle Zähne weiß, damit sie ganz stark sind, wenn ich in 'nen Apfel beiß.« (Ich habe schon bessere Gedichte gehört, aber manchmal tut es auch so ein Reim.)

Die Geschichte von der Prinzessin Süßi

Es war einmal eine wunderschöne Prinzessin. Die bestand fast gänzlich aus Süßigkeiten. Deshalb nannten sie alle nur Prinzessin Süßi. Ihr Kleid war aus Zuckerwatte, ihre Haare aus Lakritzschnecken, ihre Perlenkette war aus Bonbons gefädelt und ihre Krone aus feinstem Marzipan verziert mit den köstlichsten Lollis. Auch alles andere in ihrem Reich war aus Süßkram. Die Burgmauern waren aus Zuckerstangen, die Soldaten waren Gummibärchen, und an den Bäumen wuchsen Kaugummiäpfel. Eines Tages kam ein schöner Prinz des Weges. Er kam aus Sauerland und wollte um die Hand der schönen Prinzessin Süßi anhalten. Doch als sie ihn anlächelte und ihre Zähne zeigte, ritt der Prinz schreiend davon, denn Prinzessin Süßis Zähne waren braun und windschief. Da wurde die Prinzessin sehr traurig und nahm sich vor, nicht mehr so viele Süßigkeiten zu essen. Sie ließ ihre Zähne richten, sodass sie wieder wunderschön aussahen. Damit sie auch in Zukunft ihr Lächeln weiter jedem zeigen konnte, putzte sie von nun an fünfmal am Tag ihre Zähne.

Das Sockenmonster

Als die Kinder noch jünger waren, habe ich beim Thema Anziehen oft die Regie an einen kleinen Helfershelfer abgegeben: das freundliche Sockenmonster. Die Geburt des Sockenmonsters ereignete sich so: Eines Morgens stand ich wieder einmal wie bestellt und nicht abgeholt neben der herausgelegten Kleidung, weil meine Kinder viel wichtigere Dinge zu tun hatten, als sich anziehen zu lassen: z. B. kleine Fussel zwischen den Zehen herauspulen! Also erfand ich das Sockenmonster.

Ich stülpe mir einen Kindersocken über die Hand und lasse ihn sprechen: »Hallo, ist denn niemand da, der mich anziehen will? Das ist aber traurig, denn wir Sockenmonster sind nur glücklich, wenn wir endlich angezogen werden.« Spätestens jetzt linst eines meiner Kinder um die Ecke, kommt näher und beginnt das Sockenmonster zu trösten. Das Monster hilft auch beim Kämmen oder Zähneputzen. Und auf alle Fälle hilft es, Nerven zu bewahren. Denn während es sich noch mit den Kindern unterhält, merken sie gar nicht, dass man sie nebenbei schon halb angezogen hat. Bei größeren Kindern oder wenn man schon ein bisschen stinkig ist, hilft manchmal auch das Stinkesockenmonster.

Roboterkinder und Marionetten

Manchmal hilft es aber auch, einfach die Knöpfe für den
›Schnellanziehgang‹ zu drücken. »Ja, was hab ich denn da? Einen
kleinen Roboter mit vielen Schaltern!« Knöpfe und Hebel können überall bei einem Kind sein: Nase, Arme, Ohren, Bauchnabel,
Knöpfe am Schlafanzug usw.

Vorher muss man natürlich die Gebrauchsanweisung (meistens auf
dem Bauch aufgedruckt) laut vorlesen, damit das Roboterkind auch
weiß, was es zu tun hat: »Aha, wenn man am (Nasen-)Knopf dreht,
geht der Roboter los. Der rechte Ohrknopf signalisiert rechts rum,
der linke links rum. Sobald man auf den Bauch drückt, sagt der
Roboter ›B E R E I T‹.« In Robotorgeschwindigkeit geht alles viel
schneller: Anziehen, ins Bad gehen und Zähneputzen etc. Je nach
Alter und Robotererfahrung kann man immer mehr dazu erfinden.
Es wird irgendwann richtig kompliziert, aber auch lustiger, wenn
der Roboter seine eigenen Kommandos durcheinander bringt.

Mit der Marionette verhält es sich ähnlich. Sie hängt an imaginären
Fäden, und zieht man an den Kniefäden, läuft sie los. Man kann
auch mal die Rollen tauschen und selbst die Marionette sein, die
sich von den Kindern bewegen lässt. Auch an Kindergeburtstagen
kommt das Marionettenspiel gut an. Oder wie wäre es mit einer
Aufziehpuppe, mit einem Schlüssel am Rücken.

Der Mundschlüssel

Einen anderen Schlüssel benötigt man zuweilen für die kleinen Plaudertaschen, bei denen morgens der Mund vor den Augen aufgeht. Abends schließt er sich erst nach dem Einschlafen wieder. Da kommt ein ruhigeres Geschwisterkind manchmal gar nicht zu Wort. Und will man sich mal mit jemandem auf der Straße unterhalten, quatscht das Kind dauernd dazwischen.

Bei solchen Gelegenheiten hilft mir oft der imaginäre Schlüssel zum Mundabsperren. Einmal vergaß ich, das Plappermaul wieder aufzusperren, und wunderte mich, warum das kleine Mädchen neben mir immer noch so still war. Als ich nachfragte, deutete es auf meine Tasche und gab mir zu verstehen, dass da der ›Mundschlüssel‹ noch drin wäre.

Noch ein Tipp für den Fall, dass mehrere Kinder gleichzeitig etwas von einem wollen. Ich bitte sie, sich ihr Anliegen zu merken, sich kerzengerade hinzustellen und sich mit dem Finger in der Luft richtig zu melden. Nachdem ich meinen Satz zu Ende gebracht habe, kümmere ich mich dann der Reihe nach um die sich meldenden Kinder.

Die Böse-Worte-Schublade

Meine Freundin erzählte mir neulich, ihr Sohn würde, seit er im Kindergarten ist, häufig mit ›schlimmen‹Worten um sich werfen. Da erfand sie die ›Böse-Worte-Schublade‹. Sie formte ihre Hände zu einer kleinen Schale und ließ ihren Sohn die schlimmen Worte da hinein sagen. Sie erlaubte ihm, sich in dringenden Fällen hin und wieder welche herauszuholen und sie zu benutzen – allerdings nur in sehr sehr dringenden Fällen. Und siehe da, es funktionierte!

Übers Schlafen und Kranksein

Jedes Kind kann schlafen lernen – früher oder später

Viele Eltern wüssten sicherlich auch gern, wo sich bei ihren Kleinen der Knopf für den Schlafmodus befindet. Was wir Eltern nicht alles veranstalten, damit die Kleinen endlich einschlafen, durchschlafen, überhaupt schlafen?! Doch früher oder später schlafen sie alle ein und durch und überhaupt.

Unser Sohn schlief früher nur ein, wenn wir ihm beruhigend über die Nase streichelten. Und war man sich endlich sicher, dass er schläft, versuchte man sich vorsichtig davonzuschleichen. Doch unser knarzender Parkettboden machte es uns unmöglich, unbemerkt zu entfliehen. Eines Tages kam mein Mann, der sogar selbst manchmal neben Jakob einschlief, mit kleinen Augen aus dem Kinderzimmer. Er hatte sich ausgerechnet, dass wir, da wir jeden Abend ungefähr eine halbe Stunde an Jakobs Bett sitzen, bisher schon ca. zwei Wochen Tag und Nacht dort verbracht hätten. Im Nachhinein kommen mir zwei Wochen nicht sehr lang vor. Und ein bisschen schade ist es doch auch, dass diese intensive Zeit so schnell vorbei ist.

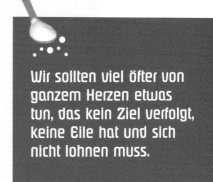

> Wir sollten viel öfter von ganzem Herzen etwas tun, das kein Ziel verfolgt, keine Eile hat und sich nicht lohnen muss.

Paulina konnte nur einschlafen, wenn sie an meiner Hand ›knibbeln‹ durfte (knibbeln = das zarte oder auch heftigere Zusammendrücken von Mamas Haut auf dem Handrücken). Zu Bett bringen konnte sie also nur jemand mit einer perfekten ›Knibbelhand‹.

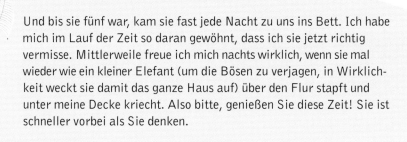

Und bis sie fünf war, kam sie fast jede Nacht zu uns ins Bett. Ich habe mich im Lauf der Zeit so daran gewöhnt, dass ich sie jetzt richtig vermisse. Mittlerweile freue ich mich nachts wirklich, wenn sie mal wieder wie ein kleiner Elefant (um die Bösen zu verjagen, in Wirklichkeit weckt sie damit das ganze Haus auf) über den Flur stapft und unter meine Decke kriecht. Also bitte, genießen Sie diese Zeit! Sie ist schneller vorbei als Sie denken.

Der Traumfänger

Frei nach dem Motto ›Die Auseinandersetzung mit dem Problem birgt oft schon die halbe Lösung‹ bastelten wir in einer Zeit der Alpträume einmal einen indianischen Traumfänger. Die Indianer glauben daran, dass diese Dreamcatcher böse Träume auffangen und die guten Träume durchlassen. Man braucht dazu nur einen Ring (z. B. aus Holz, Metall oder Pappe), an den mit Fäden – je nach Geschmack – Perlen, Muscheln, Federn etc. gehängt werden. Und dann wurde der selbst gebastelte Traumfänger abends am Bett befestigt. Ich bin mir sicher, dass er der Grund für einige gute Träume war.

Traumreisen

Trotz aller empfohlener Geduld bei Einschlafritualen sollte man auch immer genau hinsehen, woher die Schwierigkeiten rühren. So merkte ich in einer Phase des ›Nichteinschlafenkönnens‹ der Kinder, dass das Fernsehen überhand genommen hatte und fast schon ein Ritual geworden war. Ich tauschte es für einige Zeit gegen diverse Traumreisen (Kindermeditationen) aus. Die Kinder legen sich dafür mit einem Kuschelkissen in die Mitte des Raums auf eine schöne Decke. Jeder soll es sich möglichst bequem machen, die Augen schließen, zur Ruhe kommen, den Geräuschen lauschen und seinen Atem beobachten. Dann geht die Geschichte los, wobei die Kinder sich alle Einzelheiten ganz genau vorstellen sollen. Hier ein Beispiel für eine Traumreise:

Du läufst mit einem Freund an der Hand über eine Wiese. Du atmest den Duft der Blumen ein, du hörst das Summen der Bienen. Da bemerkst du das Rauschen des Wassers und siehst einen Fluss, auf dem ein kleines Schiff wartet. Schau dir das Schiff genau an! Welche Farbe hat das Segel? Schaukelt es auf den Wellen? Ihr steigt in das Schiff und es fährt los. Du schaust über die Reling ins Wasser und siehst viele kleine und große Fische. Siehst du die Farben der Fische? Welche Fischarten erkennst du? Das Schiff fährt plötzlich aufs offene Meer hinaus. Immer weiter, immer weiter. Da siehst du eine Insel. Das Schiff kommt am Strand zum Stehen und ihr steigt aus. Die Insel ist voll von hohen Bäumen. Sie sind so hoch, dass du nicht einmal mehr die Spitzen sehen kannst. Plötzlich hörst du ein freches Lachen. Du schaust dich um. Da siehst du einen kleinen Waldelf, der sich vor dir versteckt. Du läufst ihm hinterher und er führt dich auf eine Lichtung. Dort stehen hunderte von Elfen, die sich an den Händen halten und euch zulächeln. In ihrer Mitte bemerkt ihr eine große Torte. Es ist deine Lieblingstorte. Du steckst den Finger in die Sahne und schleckst ihn ab. Das schmeckt lecker. Jetzt siehst du auf dem Tisch zwei Geschenke. Eines davon ist für dich. Guck dir das Papier und die Schleife genau an, dann pack es vorsichtig aus, sodass das Papier nicht kaputtgeht. In deinem Geschenk ist ein kleiner Karton. Den öffnest du jetzt ganz langsam. Kannst du sehen, was darin ist? Merke es dir gut! …

Am Ende der Geschichte fahren die Kinder wieder zurück und gehen
nach Hause. Zum Schluss sollen sie sich dann strecken und räkeln und
die Augen wieder aufmachen. Jetzt können sie erzählen, wie sie sich
gefühlt haben, was sie erlebt haben, wie das Schiff aussah, die Fische
und vor allem, was in ihrem Geschenk war.

Wichtig ist, dass die Geschichten ganz langsam erzählt werden, mit
möglichst ruhiger Stimme, damit sich die Kinder alles genau vorstellen können. Ich würde raten, mit kleineren Traumreisen zu beginnen,
da es für Kinder zunächst sehr schwierig ist, die Augen längere Zeit
geschlossen zu halten und ruhig zu liegen. Mit der Zeit lernen sie es.
Diese Geschichte kann ja auch erstmal im Meer aufhören, vielleicht
springt man noch hinein und schwimmt mit einem Delphin. Ein anderes Mal könnte er einem die Unterwasserwelt zeigen, in der ein
Krake auf einer Schatzkiste sitzt ... Möglich ist alles!

Neue Abendrituale

Es muss natürlich nicht jeden Abend eine Traumreise sein, auch eine Gute-Nacht-Geschichte tut meist ihre Wirkung. Doch für Kinder ist es wichtig, zumindest ein abendliches Ritual zu haben, um wirklich zur Ruhe zu kommen. Bei uns nimmt es allerdings manchmal Überhand mit den Ritualen, man muss mittlerweile eigentlich eine halbe Stunde eher ins Bett gehen, um alle noch voll auskosten zu können. Und immer kommt mal wieder ein neues dazu:

So äußerte meine Tochter eines Tages von sich aus den Wunsch, ein Tagebuch zu schreiben, besser gesagt zu diktieren. Wir überlegten von da an jeden Abend gemeinsam, was an diesem Tag besonders schön oder nicht so toll gewesen war, und schrieben es auf. Manchmal malte sie am nächsten Tag noch etwas dazu. Doch da der Abend oft schneller kam als erwartet, und man ja noch so viel tun wollte ..., hielten wir mit unserer Tagebuchdisziplin nicht sehr lange durch. Also entschlossen wir uns stattdessen, den Tagen einfach Titel zu geben. Denn obwohl es für jeden der gleiche Tag ist, mit demselben Wetter und denselben Unternehmungen, bedeutet er am Ende für jeden etwas anderes.
So unter dem Motto: »Dies war der Tag, an dem ...
... ich das erste Mal eine Antifaltencreme unter meine Augen schmierte, aber nichts passierte.
... wir einen Ausflug machen wollten, aber Sabines Fahrrad kaputt ging.
... wir Sushi machen wollten, aber es nicht schmeckte.
... wir ins Theater wollten, aber zu spät loskamen.
... Leon mein Freund wurde, aber ich weiß gar nicht warum.
... ich mir ein Pflaster in die Kniekehle klebte und es am Abend fast nicht mehr wegbekam.«

Wenn dann schließlich alle Abendrituale erledigt sind, muss bei uns zu guter Letzt nur noch das Licht ausgepustet werden. Jedes Kind liegt in seinem Bett und pustet aus Leibeskräften in Richtung Licht. Ich knipse es unauffällig aus und sage: »Gute Nacht.«

Das Fußbad

Manchmal kann das schönste Ritual, das Kindern in ewiger Erinnerung bleibt, etwas ganz Unspektakuläres sein. Und man merkt erst nach einiger Zeit, wie wichtig dem Kind diese oder jene Gewohnheit geworden ist.

Bei uns fing eines dieser komischen Rituale an einem kalten Novembertag an. Wir waren viel zu lange draußen geblieben, mit viel zu dünnen Schuhen. Als wir nach Hause kamen, hatten meine Kinder Eiszapfen-Füße. Da es schon dunkel und zu spät für ein Bad war, setzte ich die Kinder (und mich) an den Badewannenrand, die Füße ins warme Wasser und zündete einige Kerzen an. Jedes Kind bekam ein Butterbrot in die Hand und ich las aus unserem ›Wilde-Kerle-Buch‹ vor. Diese Kombination aus warmem Wasser, Kerzenschein, Butterbrot und Vorlesen muss für meine Kinder sehr beeindruckend gewesen sein. Jedenfalls freuen sie sich immer wieder auf kalte Füße, denn dann gibt es endlich wieder ein »Fußbad mit allem drum und dran«.

Der Puppendoktor

Natürlich wollen Stofftiere und Puppen auch ernst genommen werden. Wenn es also zu Verletzungen kommt, müssen bei uns die Patienten zum Nähen zu ›Doktor Mama‹ ins Krankenhaus. Mit einer kleinen Betäubung sowie einem Beruhigungsgummibärchen für die aufgeregte Puppenmami wird alles gleich wieder heil gemacht und mit Pflaster oder einem kleinen Verband muss sich der Patient für einen Tag ins Puppenbett legen.

Das Tischchen

Wenn trotz vorbeugendem Fußbad bei uns doch einmal jemand krank wird, kommt immer das ›Tischchen‹ zum Einsatz. Darauf gehört eine Tasse Tee, ein Glas Wasser, das Fieberthermometer und eine bestimmte Tasse mit Salzstangen. Außerdem wird das Federbett aufs Sofa ins Wohnzimmer verfrachtet.

Eines Tages kam ich auf die Idee, eine kleine Genesungskiste zu gestalten. Darin können Dinge sein, die nur herausgeholt werden, wenn jemand krank

ist. Zum Beispiel eine besonders schöne Hörspielkassette oder einige Handpuppen. Schön ist auch ein Fingerpuppentheater, mit dem kleine Genesungsstücke aufgeführt werden.

Die Genesungskerze

Doch es gibt natürlich viele Wege, die Genesung zu beschleunigen. Für Kinder – und vielleicht auch für Erwachsene – ist es oft nur wichtig, das Gefühl zu haben, irgendetwas dazu beitragen zu können. Neulich kam Paulina z.B. ganz verzweifelt aus dem Kindergarten. Ein Kind hatte sich verletzt und musste ins Krankenhaus. Paulina war so aufgeregt, doch wir hatten keine Möglichkeit uns nach dem Kind zu erkundigen. Da beschlossen wir, eine Kerze ins Fenster zu stellen, sie anzuzünden und dem Kind einen Genesungswunsch zu schicken. Paulina bestand darauf, die Kerze selbst zu verzieren. Zufällig hatte ich bunte Wachsplatten da (das klingt jetzt vielleicht wie »Lassen sie mich durch, zufällig bin ich Arzt!« Es ist schließlich nicht so, dass ich immer in meiner Handtasche Wachsplatten mit mir herumtrage. Aber es war eben zufällig tatsächlich so, dass die Wachsplatten noch von den Taufkerzen übrig waren, die wir unserem Patenkind vor zwei Jahren bastelten), aus denen man mit einer Schere oder einem spitzen Messer Motive ausschneiden kann, um sie dann auf dicke Kerzen zu pressen. So bastelten wir zwei Kerzen und stellten sie ins Fenster. Paulina ging ganz in sich. Ich war überrascht, denn sie verschränkte die Arme über der Brust, schloss die Augen und verharrte so eine Weile. Später erfuhr ich, dass sie immer Kerzen basteln im Kindergarten, wenn jemand krank ist. Dann öffnete sie die Augen langsam, bewegte die Arme wie in Zeitlupe nach unten und war bereit fürs Wochenende. Nach dem Wochenende war das Kind wieder da und alles war in Ordnung. Vielleicht hatte die Kerze ja wirklich ein bisschen geholfen. Wer weiß...?

Wenn Mama mal krank ist

Aber was hilft, wenn Mama mal krank ist? Eigentlich darf man sich
als Mutter Kranksein gar nicht erlauben, hinlegen erst recht nicht.
Denn wie das immer so ist, normalerweise können sich die Kinder
ganz toll alleine oder zu zweit beschäftigen, nur in dem Moment, in
dem man sich dem Sofa nähert, um sich für ein halbes Stündchen
hinzulegen, wollen die Kleinen unbedingt mit Mami spielen.
Ich habe meinen Kindern in diesem Fall immer den Vorschlag gemacht, eine Vorstellung vorzubereiten. Ich spiele dabei die Lisa,
die nur dasitzen und zuschauen soll (dazu bin ich gerade noch in der
Lage). Dann verschwinden die Kinder erst mal im Kinderzimmer und
proben. Während sie Musik und Kostüme aussuchen, kann ich endlich
mal ganz entspannt die Füße hochlegen.

Gefühle ernst genommen

Die Gefühlschaoskiste

Ich finde, man sollte die Gefühle, Sorgen und Probleme der Kinder immer ernst nehmen. Auch ich möchte ernst genommen werden, dann wollen Kinder das doch erst recht. Deshalb gibt es bei uns die »Gefühlschaoskiste«.

Der erste Schritt dazu: Schachteln, Dosen oder Kisten sammeln. Eine große und viele kleine, kommt ganz darauf an, wie viele Gefühle sich bei einem öfter im Chaos befinden. Bei der Ausgestaltung darf man der Fantasie freien Lauf lassen. Ich gebe zu, dass meine Fassung ein wenig teuer geworden ist, denn ich habe alles mit kleinen Holzkisten gemacht.

In unserer Kiste gibt es:

- ›Troststäbchen‹ – Brausestäbchen
- ›Glückspralinen‹ – Muschelpralinen
- ›Mutmachtoffees‹ – Toffeefee
- ›Belohnungsbonbons‹ – weißer Kandiszucker
- ›Versöhnungsversüßung‹ – kleine Traubenzuckerherzen
- ›Gutelaunedrops‹ – saure Drops (sauer macht lustig)

In den jeweiligen Kisten sollten wirklich besondere Süßigkeiten sein, solche, die man normalerweise nicht im Haus hat. Das klingt alles nicht sehr gesund, ich weiß. Man kann die Naschwaren ja auch gegen Nüsse, Rosinen, getrocknetes Obst oder Cornflakes austauschen. Die Namen sollte jeder je nach Gefühl ganz speziell für sich erfinden, z. B. ›Tapferkeitsbonbon‹, ›Sorgenlolli‹, ›Freundschaftsoblaten‹ etc. Auch die Kiste könnte ›Gemütskiste‹, ›Zauberkiste‹ oder einfach nur ›die Kiste‹ heißen.

Ich fände es schön, wenn tröstende Sätze wie »Na, woll'n wir mal wieder in die Kiste gucken, ob da

was drin ist, damit es dir besser geht« in den Familienalltag miteinfließen würden.

Außerdem gehört diese Kiste zu meinen Lieblingsgeschenkideen, v. a. zu Hochzeits- oder Tauffeiern.

Übrigens: Bei uns sind die ›Versöhnungsversüßungsherzen‹ in zwei kleinen Herzschachteln. Wenn sich zwei gestritten haben und auf dem Weg zur Versöhnung sind, nimmt jeder eine Schachtel und gibt dem anderen ein Traubenzuckerherz.

Man kann nicht jeden Schmerz damit heilen, aber bei den kleinen Sorgen des Alltags hilft die Chaoskiste ungemein.

Sätze überdenken

Manchmal ist es auch nur der Moment des Innehaltens, der uns hilft, den Stress des Alltags ein wenig auszubremsen. So finde ich es wichtig, dass man sich immer mal wieder die Zeit nimmt, sich selbst zuzuhören. Nur so fällt einem auf, dass man z. B. schon den ganzen Tag an einem Kind herummeckert. Auch sollte man manche Sätze überdenken, die sich im Lauf der Zeit eingespielt haben, z. B. »Hör sofort auf zu weinen!« – Können Sie, wenn Sie weinen müssen, sofort aufhören? Gefühle kann man nicht auf Knopfdruck abstellen. Also wäre es nicht besser, man sagt: »Jetzt weinst du dich mal richtig aus. Lass deine Tränen laufen, dann geht es dir bestimmt besser.«

Ich verlange aber auch von meinen Kindern, dass sie sich selbst zuhören. Auf einen Satz wie »Mama, Durst!« (abgesehen davon, dass dies gar kein Satz ist) könnte man zum Beispiel antworten: »Trinken, Kühlschrank!« Oder man täuscht einen Angriff der einzelnen Worte vor, indem man schützend die Hände vors Gesicht nimmt und das Kind bittet, nicht mit einzelnen Begriffen um sich zu schmeißen. Und ein kleines ›bitte‹ hat noch niemandem geschadet.

Die Patenkatze

Doch selbst wenn er mit ›bitte‹ formuliert wird, kann nicht jeder Wunsch erfüllt werden. Dennoch sollte man Herzenswünsche immer ernst nehmen und nach einer für alle Seiten befriedigenden Lösung suchen. So lagen uns unsere Kinder eines Tages mit dem dringlichen Wunsch nach einem Haustier in den Ohren. Jakob wollte einen Hund, Paulina unbedingt eine Katze.

Für uns kam zu der Zeit kein Tier in Frage, aber mir fielen die zwei Katzen der älteren Dame unter uns ein und Pelle, der Hund über uns. So machte ich meinen Kindern den Vorschlag, da mal nachzufragen, ob sie nicht die Patenschaften für diese Tiere übernehmen könnten. Seitdem geht Paulina fast jeden Tag einmal zu ihren Patenkatzen mit einem kleinen Katzenleckerli in der Hand. Und mit Pelle waren beide auch schon mal Gassi. Der Haustierwunsch ist damit nicht ganz vom Tisch. Aber so kann man den Umgang mit den Tieren schon mal üben, um dann vielleicht im Urlaubsfall mal für eine Woche die Verantwortung zu übernehmen.

Angst vor Hunden

Dass unsere Tochter Paulina einmal so eine Zuneigung zu Tieren ent-
wickeln würde, hätte ich mir früher auch nicht träumen lassen. Denn
sie hatte merkwürdigerweise von dem Moment an, als sie auf die Welt
kam, Angst vor allen Tieren. Sie wollte nicht einmal einen Marienkäfer auf die Hand nehmen. Und wenn sie 50 Meter entfernt einen Hund
daherkommen sah, erstarrte sie zur kleinen Salzsäule. Also erfanden
wir den ›Starkmach-Spruch‹. Jedes mal, wenn uns ein Hund entgegen
kam, stampften wir mit beiden Beinen auf dem Boden auf, damit wir
fester standen, richteten uns kerzengerade auf, legten die Faust auf
unser Herz und sagten so eindringlich es ging: »Ich bin stark, ich habe
keine Angst!« Und siehe da, es funktionierte. Seitdem Paulina sich so
mutig zeigte, machten Hunde einen großen Bogen um uns.

Mutproben

Natürlich äußert sich Mut bei jedem etwas anders. Doch sich zu
etwas überwinden, macht jeden sehr stolz — und manchen zwei Zentimeter größer. Oft durchleben Kinder allerdings Phasen der Angst, in
denen das Selbstbewusstsein irgendwie abhanden gekommen scheint.
Man traut sich nichts zu. (Ich finde, solche Phasen gibt es sogar noch
im Erwachsenenalter.)

Wie wäre es da mal mit einem Tag voller Mutproben? Man setzt sich zusammen und jeder überlegt, was ihm Angst macht oder was für den anderen eine Mutprobe bedeutete. Für Jakob (vier Jahre) hieß das damals z. B., ins Schreibwarengeschäft zu gehen und etwas zu kaufen, weil sie dort oft so unfreundlich zu ihm waren. Für Paulina (damals zwei), an einem Hund vorbei in die Bäckerei zu gehen. Und für mich? Da musste ich lange überlegen. Jemanden zum Nachmittagstee einladen und die Wohnung weder putzen noch aufräumen. Stattdessen einfach sagen: »So sieht es oft bei uns aus.« Auf der Straße vor mich hin singen. Gästen, die Wein mitbringen, beichten, dass ich gar keinen Wein trinke. Im Restaurant Essen zurückgehen lassen, das mir nicht schmeckt. Da fielen mir nach und nach doch einige Mutproben ein.

Beim Bestehen dieser Herausforderungen muss man sich natürlich gegenseitig unterstützen, indem man z. B. vor dem Schreibwarengeschäft wartet oder hinter einem Busch die Daumen drückt. Nach bestandener Mutprobe dürfen alle jubeln, man gibt sich ein High Five und belohnt sich vielleicht am Schluss mit einem Eis.

Blindes Vertrauen

Solche Mutproben stärken das Selbstvertrauen, doch auch Vertrauen in andere Menschen ist ganz wichtig, nicht nur für Kinder. Neulich sahen wir eine blinde Frau auf der Straße. Die Kinder beobachteten sie ganz genau, wie sie es schaffte, nur mit Hilfe eines Stocks über die Straße zu gehen. Sie stellten sich vor, wie es wohl sein müsse, wenn man nichts sieht.

Am nächsten Nachmittag machten wir den Versuch. Jakob verband sich also die Augen. Mit seiner Schwester auf der einen Seite, einem Stock auf der anderen und einer Mami als Aufpasser dahinter ging er los. Er musste seiner Schwester voll vertrauen. Ich fragte ihn hin und wieder, ob er etwas besonderes hört oder den Bäcker riecht, und ob er weiß, wo wir gerade sind. Für den Rückweg tauschten wir die Rollen und die Kinder führten mich.

Was ist Sicherheit?

Das Urvertrauen in andere Menschen kann jedoch auch schneller enttäuscht werden, als man vielleicht denkt. Neulich kaufte mein Mann einen Rauchmelder. Als er ihn an der Decke im Flur anbrachte, sah ich die erschreckten und ängstlichen Augen der Kinder. Und das Einschlafritual wurde an diesem Abend von einem Frage-Antwort-Spiel abgelöst: »Und wenn es brennt?«, »Hat es hier schon mal gebrannt?«, »Kommt dann die Feuerwehr?«, »Darf ich bei euch schlafen?«

Und da erinnerte ich mich an das beruhigte und stolze Gesicht meines Vaters, als er mit einer extralangen Strickleiter ankam (er hatte dieses ›Jetzt-kann-es brennen-Gesicht‹). Ich – sieben Jahre alt – verlor in diesem Moment mein Urvertrauen. Mein Vater hielt es also für möglich, dass es bei uns brennen könnte. Er räumte dem Feuer so eine große Wahrscheinlichkeit ein, dass er dafür ziemlich viel Geld ausgab. Er glaubte tatsächlich, ich könnte mit meinem Nachthemd (denn wenn, brennt es bestimmt in der Nacht) aus dem dritten Stock an einer Strickleiter herunter klettern.

Merken Sie hier den Unterschied zwischen Kindern und Erwachsenen? Sicherheit für ein Kind ist nicht die Strickleiter im Schrank. Sicherheit sind Eltern, die an eine Strickleiter keinen Gedanken verschwenden, weil sie selbst so sicher sind, dass es nicht brennt. Also, was ich damit sagen will: Kaufen Sie die Strickleiter heimlich und legen Sie sie irgendwohin, wo sie zwar greifbar ist, für das Kind aber nicht jeden Tag sichtbar!

Handynummern

Ein Sicherheitstipp für Rummelplätze und andere Großveranstaltungen: Schreiben Sie dem Kind Ihre Handynummer mit Kugelschreiber auf den Arm!

Giftzwerge

Legen Sie sich einfach mal daneben!

Manchmal können die süßen Kleinen sich aber auch von einem Moment zum anderen in tobende Giftzwerge verwandeln. Einmal schlug eine Psychologin auf einem Vortrag vor, man solle sich doch mal hinstellen und dieses Wutkind genau anschauen. Und dann solle man staunend da stehen und denken!

In Wirklichkeit ist es doch so, dass wir diese Wut auch in uns haben. Wir haben nur gelernt mit ihr umzugehen (na ja, manche von uns, die anderen nennt man Choleriker). Aber vielleicht haben wir deshalb so viele Magenprobleme, weil wir sie nicht mehr herauslassen? Abgesehen davon fände ich es natürlich schrecklich, wenn jeder einfach losschreien würde, wenn ihm irgendetwas nicht passt. Aber stehen Sie doch wirklich mal bewundernd daneben! Ganz ruhig. Und vor allem ohne sich zu denken: »Die Leute schauen schon.«

Eine andere Geschichte zu diesem Thema erzählte mir meine Friseurin, die jahrelang als Au-pair-Mädchen gearbeitet hat. Sie hatte diesen ›Fall von Kind‹, das sich, wenn ihm etwas nicht passte, einfach mitten auf der Straße auf den Boden legte und wie wild zu schreien und zu strampeln begann. Da steht man nun mitten auf der Straße, andere Fußgänger bleiben schon stehen. Aber sie legte sich einfach daneben und fing an, genauso zu schreien und zu zappeln wie das Kind. Dieses hörte schlagartig auf. Das war ihm nun doch zu peinlich. Es zog sein Au-pair schnell auf die Füße, und sie verließen fluchtartig die Straße. Von da an ist es nie wieder so weit gekommen.

Sag mir, was ich tun soll!

Mein Sohn (damals vier Jahre alt) hatte mal kurze Phasen des ›Unmuts‹. Er wusste selbst nicht so genau, wohin mit sich. Und ich wusste nicht, wie ich an ihn rankommen sollte in diesen kleinen Anfällen des Weinens und der Wut auf die Welt. Auslöser waren oft winzig kleine Dinge, wie das falsche Glas am Tisch. Er wollte das blaue mit Bärchen, nicht das gelbe mit den Simpsons. »Aber das blaue mit den Bärchen ist gerade in der Spülmaschine und so schlimm ist das doch jetzt wirklich nicht.« Aber manchmal sind eben genau diese Dinge wahnsinnig wichtig für ein Kind. Trotzdem höre ich mich dann so Sätze sagen wie: »Es gibt Kinder auf der Welt, die wissen gar nicht, dass es überhaupt Gläser gibt mit irgendetwas drauf. Die besitzen nur eins, wenn überhaupt, und dann sind sie froh über den Inhalt, denn sie haben einen Mordsdurst.« Und natürlich wirken diese Sätze überhaupt nicht, denn diese Kinder sind einfach sehr weit weg. Mein Sohn jedenfalls fauchte und weinte immer noch, und er war wütend auf die ganze Welt.

Als alles wieder vorbei war, nahm ich ihn auf den Schoß, putzte ihm die Nase und fragte ihn, ob er mir einen Rat geben könnte, wie ich in so einem Fall mit ihm umgeben soll. Jakob überlegte eine Weile und meinte schließlich, ich solle ihm ein bisschen Zeit im Kinderzimmer lassen, damit er sich beruhigen könne.

Später übernahmen wir eine Patenschaft für ein Kind in Haiti. Ein kleiner Junge genau in Jakobs Alter. Die Kinder fanden es spannend, das Foto anzusehen und einiges über die Lebensgewohnheiten zu erfahren und auch den Grund, warum wir ihm Geld schicken. Und ich stellte fest, nun hatte die Armut einen Namen: Benjamin. Und sie war nicht mehr so weit weg und so unvorstellbar, denn wir

Kinder sind komische Leute

Manchmal sieht man seine Kinder nur wortlos an und fragt sich: »Wo hat es das nur her, von mir nicht?!« Mir tut in so einem Fall ein Satz wahnsinnig gut, und ich weiß selbst nicht ganz warum. Ich trete innerlich einen Schritt zurück, sehe mein Kind an und sage vor mich hin: »Kinder sind schon komische Leute!« Probieren Sie es mal aus. Vielleicht hilft es Ihnen auch hin und wieder.

hatten ja das Foto von Benjamin vor Augen. Von nun an sprachen wir am Tisch öfter davon, dass Benjamin keine Auswahl an blauen, grünen oder gelben Bären-, Simpsons- oder Diddlgläsern hat. Und jetzt verstanden die Kinder, was ich meinte.

Wenn einer mit dem falschen Fuß aufsteht ...

... muss man das natürlich so schnell wie möglich wieder geradebiegen. Wenn bei uns der Haussegen schon beim Frühstück schief hängt oder einer gleich von morgens an schlecht gelaunt ist, bitte ich ihn, genau zu überlegen, mit welchem Fuß er aufgestanden ist. Denn es gibt den richtigen und den falschen. Welcher welcher ist, findet man nur heraus, indem man ganz genau nachdenkt. Am besten, man verschwindet noch einmal im Bett und versucht es ein zweites Mal. Diesmal allerdings mit dem richtigen Fuß. Ist die ganze Familie ›knatschig‹, müssen eben alle noch einmal neu aufstehen. Es klingt vielleicht mal wieder albern, aber es wirkt – meistens.

Der Wutsack

Haben Sie es schon mal mit einem Wutsack probiert? Oder wie wäre es, seine Wut wegzutrommeln?

Hilfe, ich bin eine Mutter, holt mich hier raus!

Aber nun mal ehrlich gesagt: Sollten wir in diesem Familiendschungel, umgeben von wilden, schreienden kleinen Bestien, Furcht erregenden, von Schlamm triefenden Tellerbergen und ekelhaft stinkenden Wäschegebirgen nicht auch ab und zu unsere Hände zum Himmel strecken und rufen: »Hilfe, ich bin eine Mutter, holt mich hier raus!!!«

Vielleicht hilft Ihnen beim nächsten Verzweiflungsanfall im Familienchaos das bloße Denken an diesen Satz und Sie müssen lächeln. Oder Sie setzen ihn in die Tat um und schreien ihn heraus. Mal sehen, wie Ihre Kinder reagieren. (Kleine Anmerkung: Wenn Sie ein erziehender Vater sind, müssen Sie natürlich schreien: »Hilfe ich bin ein Vater, holt mich hier raus!«)

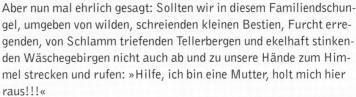

Das ›Hilfe-ich-bin-eine-Mutter‹-Zehn-Punkte-Programm

1) **Sich zulächeln** – Überall, wo Sie sich im Spiegel sehen, lächeln Sie sich zu! Das macht gute Laune. Fällt es schwer, kann man anfangs auch die Finger zur Hilfe nehmen, um die Mundwinkel Richtung Ohren zu ziehen.

2) **Sonne** – Wenn die Winterzeit nicht enden will und Sie in die Schlecht-Wetter-Krise kommen, gönnen Sie sich mal ein bisschen Sonne, zur Not auch im Solarium, selbst wenn es nur 6 Minuten sind. Das tut der Seele unheimlich gut.

3) **Eine Zeitschrift lesen** – Für mich der absolute Luxus: nur da sitzen und vor mich hin blättern.

4) **Laut singen und wild tanzen** – Normalerweise sieht Sie niemand dabei – und es tut wahnsinnig gut.

5) **Gymnastik** – Oft helfen schon einmal pro Woche ein paar Dehnübungen. Kinder machen auch gern mal mit. Bei uns war eine Zeit lang nach dem Sonntagsfrühstück immer Gymnastik für alle angesagt. Manchmal auch Joggen mit Dehnübungen. Wir vier im Jogginganzug um den Block, ein Riesenspaß!

6) **In der Wohnung etwas verändern** – Irgendetwas erneuern, egal ob nötig oder nicht. Man freut sich mindestens zwei Wochen daran.

7) **Sich verwöhnen lassen** – Ein Termin beim Friseur, eine Gesichtsmaske bei der Kosmetikerin oder vom Mann oder einer Freundin massieren lassen.

8) **Telefonieren** – Mit einer Freundin. Wichtig ist hier, den Kindern klar zu machen: »Jetzt brauche ich mal eine halbe Stunde Ruhe, ob wir das schaffen? Das ist so lange, bis deine Kassette zu Ende ist.«

9) **Einen kochfreien Tag einlegen** – Für alle einfach mal eine Pizza bestellen.

10) **Einkaufen** – Sich etwas Neues zum Anziehen kaufen. Viele nennen es Frustkauf, aber es ist nun mal so: Ein einziges neues Teil hebt schon die Laune.

„Hol dir mal ein anderes Gesicht aus dem Pulli!"

Es gibt allerdings auch hartnäckige Anfälle von übler Laune, bei denen man sich noch ein paar andere Tricks einfallen lassen muss. Unser Sohn Jakob hatte einmal eine solche Phase.(Wie gut man sich trösten kann mit diesem Wort ›Phase‹, denn das heißt, diese problematische Zeit wird mehr oder weniger schnell vorbeigehen. Und es stimmt: Meistens ist sie in dem Moment überstanden, in dem man sich wirklich mit dem Problem auseinandersetzt. Oft genügt schon der Gedanke an das Bachblütenbuch!) Jedenfalls war diese Phase eine Schlechte-Laune-Phase. Wir sind eigentlich eine sehr fröhliche Familie. Aber in dieser Zeit kam Jakob oft schon morgens mit einem unfreundlichem Gesicht an den Tisch. Bei ›witzigen‹ Bemerkungen seines Papas, wie »Oh, da kommt ja wieder unser Schnuddelgesicht« wurde Jakobs Gesicht nur noch griesgrämiger. Bis ich ihn eines Morgens fragte, ob er sich aus seinem Pulli ein freundlicheres Gesicht rausholen könnte. Ich zog ihm den Pulli ein wenig über sein Gesicht. Da musste er schon lachen, versuchte aber, immer noch grimmig zu schauen. »Oh nein, das ist immer noch nicht das, das ich meine. Ich erinnere mich da an so ein fröh-

liches Jakobgesicht.« Nun verschwand Jakob immer wieder in seinem Pulli und kam mit den verschiedensten Gesichtern wieder heraus. Bis ich bei einem sagte: »Ja, genau das Gesicht habe ich gemeint!«

Kurz darauf musste ich in die Fußgängerzone. Alle Leute, die mir entgegenkamen, sahen gehetzt und griesgrämig drein. Vielleicht handelte es sich aber auch nur um den neutralen deutschen Blick. Jedenfalls überlegte ich mir, wie die Leute reagieren würden, wenn ich zu ihnen sagen würde: »Holen Sie sich mal ein anderes Gesicht aus dem Pulli!«
Bei uns zu Hause führte es dazu, dass Töchterchen Paulina ebenfalls ein missmutiges Gesicht machte, nur um auch mal im Pulli verschwinden zu dürfen. Normalerweise hat sie das wirklich nicht nötig, denn sie ist meistens fröhlich. Allerdings bitte ich sie ab und zu, sich eine neue Stimme aus dem Pulli zu holen, denn manchmal nölt sie ein bisschen rum. Ein bisschen viel. Da biete ich ihr oft auch ein Glas Zauberlimo an. Das verändert die Stimme im Nu.

Die Zauberlimo

Die Zauberlimo ist eins meiner absoluten Lieblingsspiele, zu dem man allerdings gut bei Stimme sein muss. Man tut so, als hätte man eine Flasche in der
Hand. ›Zauberlimo‹ steht darauf. »Was kann das sein? Ob die mich verwandelt? Soll ich mal einen Schluck trinken?« (Gluck, gluck, gluck!) »Ekliges Zeug!«
Nun warten die Kinder gespannt, was passiert. Man sollte diesen Moment auskosten und erst einmal fragend vor sich hinschauen. Mit einer völlig anderen
Stimme (ganz piepsig z. B.) spricht man nun: »Es passiert ja gar nichts. Oh
je, was ist mit meiner Stimme? Die klingt ja so komisch. Soll ich noch einen
Schluck nehmen?« »Na klar, Mami!« Die nächste Stimme ist möglichst tief,
doch ich sage immer wieder dieselben Sätze: »Es passiert ja gar nichts. Oh je,
was ist mit meiner Stimme? Die klingt ja so komisch. Soll ich noch einen Schluck
nehmen?«
Jetzt wird es immer besser. Ich krame sämtliche Dialekte heraus, fasle etwas
in einer Fremdsprache, die ich beherrsche, oder auf ›Pseudochinesisch‹. Dann
fahre ich fort mit ›Hundisch‹ (»Wau, wau, wuff!«), ›Schweinisch‹ (nicht das,
was Sie denken, – ich meine:»Oink, oink, oink!«) und natürlich – seit ›Findet
Nemo‹ nicht zu vergessen – ›Walisch‹. Das beste zwischendurch ist ›Stum-
misch‹, d. h. ich spreche zwar genau den gleichen Text, aber eben ohne Ton.
Trotzdem wissen die Kinder inzwischen, was ich sage.
Die Zauberlimo wird bei uns als Belohnung eingesetzt für schnelles Bettfertigmachen, ein aufgeräumtes Zimmer oder auch auf langen Autofahrten. Doch
man kann den Kleinen natürlich auch mal einen Schluck anbieten, z. B. wenn
sie sich im Ton vergriffen haben.

Streiten nach Regeln

Streitereien

Ständige Streitereien unter den Geschwistern zehren mit der Zeit
ganz schön an den Nerven – der Eltern. Ein Patentrezept gibt es leider nicht, man muss viel ausprobieren. Da es ja meistens um etwas
anderes geht, muss man auch immer wieder neu und anders darauf
reagieren. Manchmal helfen einfach Sätze wie: »Kann ich mal die
Kinderzimmertür zu machen? Es ist gerade so laut. Dann könnt
ihr in Ruhe weiterstreiten.« Oft macht das Streiten dann schon gar
keinen Spaß mehr. Zuweilen hilft auch Reden, Klären, den Kindern
eine Lösungsmöglichkeit anbieten. Ich würde raten, nicht Partei für
ein Kind zu ergreifen, meistens sind sowieso beide Schuld, denn der
andere steigt schließlich in den Streit ein. Vielleicht kann man den
Kindern auch verdeutlichen, wie unsinnig der Auslöser des Streits ist.
Ich bin nicht der Meinung, dass man Kinder alles alleine lösen lassen muss. Menschen kommen nicht auf die Welt und haben Lösungen
parat. Kinder müssen lernen, wie man Situationen bewältigt, und das
kann man ihnen zeigen.
Ich erinnere mich da an eine Situation aus der Zeit, als der Irakkrieg
begann. Meine Kinder waren damals vier
und sechs, und sie bekamen die Aufregung
um das Thema natürlich mit. Da wurde
schon im Kindergarten unter den Kindern
darüber diskutiert. Am Abend also die
Frage an mich: »Warum machen die Menschen Krieg? Das ist doch dumm, die machen doch alles kaputt.« Ich wusste nicht
wirklich eine Antwort.

Doch am nächsten Tag, der Boden im Kinderzimmer war bedeckt mit Lego, ging zwischen meinen Kindern ein mächtiger Streit los. Es ging um einen ›Legozauberstab‹, den beide gleichzeitig haben wollten. Und da flippte ich fast aus: »Das ist der Grund, warum Menschen Krieg machen. Da geht es um eine winzige Sache. Beide glauben, der Zauberstab gehöre ihnen. Daraufhin zwickt der eine den anderen in den Arm. Dafür macht der andere dem einen das gebaute Legohaus kaputt. Aus Rache macht der eine dem anderen seine drei Legohäuser kaputt. Und so geht das immer weiter, bis keiner mehr weiß, warum dieser Streit überhaupt angefangen hat. Solange die Menschen nicht lernen, sich zu einigen, wird es immer wieder Kriege geben, die man nicht verstehen kann.« Nach meinem emotionalen Vortrag war erst mal Ruhe. Die Kinder sahen mich mit großen Augen an. Vielleicht war mein Vortrag zu drastisch. Jedenfalls hat er einen kleinen Eindruck hinterlassen, und das war es mir wert.

Außerdem kann man natürlich auch unter Geschwistern Gesetze vereinbaren. Zum Beispiel das ›Stoppzeichen‹. Wenn eines der Kinder merkt, ein Streit wird ihm zu viel, hebt es die Hand in die Höhe und sagt dazu: »Stopp, mein Freund.«
Man kann die Kinder auch auf Plakate aufschreiben lassen, welche Dinge der andere auf gar keinen Fall machen darf. Jakob schreibt z. B. auf sein Schild: »Nachäffen, in mein Geheimversteck gehen, Puppen in meine Nähe bringen.« Paulina schreibt auf ihr Schild: »Nachäffen, ärgern, zu meinen Puppen ›Igitt!‹ sagen.« Jeder besiegelt das Plakat des anderen mit einem Fingerabdruck oder unterschreibt mit seinem Namen.
Oder wie wäre es mit einem Wochenendpakt? »Wir wollen mal versuchen, dieses Wochenende ohne Streit zu verbringen. Ihr Kinder versucht, nicht zu streiten, und wir Erwachsene versuchen, nicht zu schimpfen. Wer den Pakt bricht, bekommt einen schwarzen Punkt auf der dunklen Liste. Wenn wir es schaffen, belohnen wir uns am Sonntagabend mit irgendetwas Schönem.«
Diesen Pakt kann man besiegeln, indem man sich an den Händen nimmt und sagt: »Wir schließen diesen Pakt.« In der Zeit von Harry Potter und Co. haben solche Dinge immer etwas Heldenhaftes. Man könnte auch einen Vertrag schreiben, den alle unterschreiben. Also, was Sie auch tun, ein wenig mystisch bis ritterlich kann es schon sein.

Wem gehört der Tag?

Dies ist die Idee meiner Freundin zum Thema Krieg und Frieden. Sie hatte die Streitereien satt, bei denen es nur darum ging, welches Kind was zuerst machen durfte. »Ich will zuerst das Licht anknipsen.« »Ich bekomme das erste Bonbon.« »Ich darf die Kerze auspusten.« »Ich darf den Wohnungsschlüssel ...« etc. Darum gibt es jetzt bei meiner Freundin im Wechsel die so genannten Emmatage und die so genannten Juliustage. An Emmatagen darf Emma alles zuerst und an Juliustagen eben Julius. Die beiden erkundigen sich jetzt nur noch, wessen Tag heute ist, und die Sache ist geregelt.

Das brachte mich auf den Gedanken, Tage zu verschenken, z. B. in den Ferien. Jedem Familienmitglied gehört ein Tag, und er darf sozusagen den ganzen Tag der ›Bestimmer‹ sein.

Das Bohlmanngesetz

Dieses Gesetz wurde von meinen Kindern erfunden, nachdem sie meine alten Pumuckl-Platten entdeckt und lieben gelernt hatten. Eine der für sie eindrucksvollsten Redewendungen von Pumuckl ist »Altes Koboldsgesetz«, denn über dieses geht nichts. Koboldsgesetze werden absolut eingehalten, ohne Widerrede und ohne wenn und aber. Und plötzlich, ehe ich mich versah, hatten wir eben so ein Gesetz: das Bohlmanngesetz. Und es ist erstaunlich, wie die Kinder diese Gesetze einhalten. Doch Achtung: Nur wirklich wichtige Dinge fallen darunter! Diese Gesetze kann man durchaus auch mal auf einem schönen Papier mit Tinte und Feder verewigen. Doch halt. Ich will jetzt nicht, dass jede Familie ein Bohlmanngesetz hat. Das ist natürlich allein unseres (es sei denn, Sie heißen auch zufällig Bohlmann, dann will ich mal ein Auge zudrücken), für alle anderen gelten Müllergesetze, Meiergesetze oder wie Sie auch immer heißen Gesetze.

Ein Bohlmanngesetz lautet z. B.: »Man darf das Haus nie im Streit verlassen. Meinungsverschiedenheiten müssen vorher geklärt werden.« Ein Bohlmanngesetz ist auch: »Morgens putzt Paulina mit der elektrischen Zahnbürste und abends mit der normalen. Jakob putzt morgens normal und abends elektrisch.« (Klingt spießig, ich weiß. Aber es war immer ein Streitpunkt, wer wann womit putzt. Und jetzt ist es einfach Gesetz.)

Der Wunschtag

Oder wie wäre es mit einem so genannten ›Wunschtag‹? Jeder darf sich an diesem Tag reihum etwas wünschen, was gemacht werden soll, und das machen dann alle. In unseren letzten Osterferien kam uns die Idee dazu sehr gelegen. Zum einen hatten mein Mann und ich uns arbeitstechnisch diese zwei Wochen die Klinke in die Hand gegeben: Die erste Woche arbeitete er, die zweite ich. Zum anderen waren diese Ferien total verregnet. Und dann kam dieser letzte Tag. Unser Sohn hatte eine echte Ferienendzeitstimmung, und wir konnten uns nicht einigen, was wir an diesem Tag tun sollten. Da kam mir der Geistesblitz: Heute ist Wunschtag. Jeder darf einen Wunsch äußern, der umgesetzt wird. Vorausgesetzt, es sind keine Tagesreisen oder Flüge. Außerdem dürfen die Ausgaben für den Tag eine Summe von 50 Euro nicht überschreiten. Der Trick war, dass wir Eltern unsere Wünsche erst am Schluss bekannt gaben, so konnten wir im Kopf ungefähr Kosten und Zeit berechnen. Also kam es, dass wir in ein Hallenbad zum Schwimmen gingen (Paulinas Wunsch), dann auf einer Wiese ein Picknick machten (Papas Wunsch), danach gingen wir eine Runde Minigolf spielen (Jakobs Wunsch). Und am Schluss aßen wir noch einen Freundschaftsbecher im Eiscafé (mein Wunsch).

Zwei Kinder und ein Zimmer

Ein anderes beliebtes Streitthema ist: Wem gehört das Zimmer? Denn ein gemeinsames Kinderzimmer bereitet des öfteren doch Probleme. Auf jeden Fall braucht jedes Kind irgendwann seinen eigenen Bereich, eine Ecke, die ihm ganz allein gehört. Manchmal hilft es auch, aus Pappe eine Trennwand oder einfach eine kleine Mauer aus Legosteinen durchs Zimmer zu bauen. Wenn jeder einen Freund zu Besuch hat, kann man auch mal sein Wohnzimmer oder Schlafzimmer als zweites Kinderzimmer zur Verfügung stellen. Es wird dann ›Kinderzimmer für einen Tag‹.

Manieren fürs 21. Jahrhundert

Das Sternenspiel

Kann mir mal einer verraten, warum Worte wie ›Scheiße‹, ›Blöd-
mann‹ & Co. für Kinder so schnell zu merken sind, und sie diese in
genau den richtigen Momenten – und auch noch ziemlich oft – ein-
setzen? Während Worte wie ›hallo‹, ›Auf Wiedersehen‹, ›bitte‹ und
›danke‹ ewig nicht in den Kinderkopf wollen, geschweige denn in den
passenden Momenten aus den Kindermündern herauskommen, obwohl man sie ihnen täglich wiederholt vorspricht.
Wie oft hörte ich mich bei meinen Kindern sagen: »Was sagt man?
Wie heißt das (wenn einem die nette Apothekerfrau zum 100. Mal
ein Traubenzuckerbonbon schenkt)?« »Sag mal ›Auf Wiedersehen‹,
Jakob!« Jakob: »Auf Wiedersehen, Jakob!«
Ich grübelte lange über diesem Problem und war schon kurz davor,
jedes ›danke‹ mit einem ›Fünfzigerl‹ zu bezahlen. Da kam mir (zum
Glück) noch eine bessere Idee: das Sternenspiel.
Wie so viele Dinge bettete ich auch dies in eine kleine Geschichte ein.
(Wenn Sie jetzt denken: »Nicht schon
wieder!«, überspringen Sie einfach
meine Erzählung. Man kann das auch
ohne Geschichte machen.)

Die Spielregeln:

Ich bin die Sternenkönigin. Wenn ich nicht da bin, darf nur der Sternenminister (Papa) entscheiden. Das Spiel läuft erst einmal für eine Woche. Nach einiger Zeit kann man es abermals für eine Woche wiederholen. Es geht darum, ohne Aufforderung sich an die Worte ›bitte‹, ›danke‹, ›Guten Tag‹ und ›Auf Wiedersehen‹ zu erinnern. Wer dies schafft, bekommt einen Stern eingetragen in ein kleines Buch. Wer fünf Sterne hat, darf sich etwas aus der ›Sternenkiste‹ holen. In unserer blauen, mit Sternen verzierten Kiste finden sich neben Süßigkeiten auch Aufkleber, Briefmarken, Tatoos, kleine Gummitiere usw. Und siehe da, es funktioniert. Da fange ich an, mich ein bisschen zu ärgern, da Freundlichkeit offensichtlich doch nicht so schwer ist, sobald man einen Ansporn hat. Aber schließlich merke ich, dass einzig und allein die Aufmerksamkeit etwas geweckt wurde, und das sind mir Aufkleber und Co. wert.

Mit ›bitte‹, ›danke‹ usw. ist das Spiel natürlich für die Kleineren gedacht. Später kann man die Regeln variieren, dann gibt es z. B. fürs Zimmeraufräumen, Kleidung abends schön zusammenlegen oder Frühstückstisch decken einen Stern. Wichtig dabei ist, dass das Spiel immer nur eine Woche lang gilt, damit die Kinder nicht dauerhaft denken, sie bekommen für jede noch so kleine Freundlichkeit eine Belohnung. Denn mit der Zeit sollten diese Dinge natürlich ganz selbstverständlich werden.

Vielleicht werden jetzt viele sagen, die Sternenkiste und ähnliche Belohnungen grenzten an Bestechung. Dem Kind müsse die Belohnung des Aufräumens ein sauberes Zimmer und die Belohnung des Müllruntertragens ein freundliches »Danke, mein Schatz!« sein. Aber ich denke nicht, dass ein kleiner Aufkleber hier und da das Kind verdirbt. Man kann diese Praxis ebenso ›positive Verstärkung‹ nennen. Belohnen wir uns nicht auch oft selbst mit einem neuen Kleidungsstück, einer Tasse Kaffee, einem Riegel Schokolade o. Ä.? Wenn wir z. B. einen unangenehmen Arztbesuch hinter uns haben, Stress hatten oder einfach einen langen Tag gemeistert haben?

Es war einmal eine Sternenkönigin, die hatte viele Sternenkinder. Deren Aufgabe war es, die Sterne zu putzen. Doch die Sternenkinder waren sehr faul, und die Sterne leuchteten schon lange nicht mehr so wie früher. Da nahm sich die Sternenkönigin vor, die Kinder zu belohnen, wenn sie fleißig putzten. Für fünf geputzte Sterne gab es eine Überraschung aus der großen Sternenkiste. Und nur die Sternenkönigin durfte bestimmen, wann ein Stern genügend strahlte. Seit dieser Zeit putzen die Sternenkinder ihre Sternchen wieder mit mehr Spaß und Eifer. Und manchmal war gar keine Belohnung mehr nötig. Denn das Leuchten der Sterne und die lächelnde Sternenkönigin waren Belohnung genug.

Der Hallo-Tag

In gewisser Hinsicht ist der Hallo-Tag eine Variante des Sternenspiels für Anfänger. Da das Hallo-Sagen meinem damals dreijährigen Sohn etwas schwer fiel, beschlossen wir einen solchen Tag einzulegen. Es ist von Nutzen, an diesem Tag einen Spaziergang zu machen. An einem Regentag zu Hause hat man nicht so viele Gelegenheiten ›Hallo‹ zu üben. Ich muss dazu sagen, dass sich die Leute in unserer Gegend fast alle kennen und man beinah jeden grüßt, den man sieht. Jetzt ging es darum, wer zuerst ›Hallo‹ sagt. Wir oder die anderen? Wenn wir es waren, bekam Jakob ein Steinchen in die Hand. Bei zehn Steinchen hatten wir gewonnen und die anderen verloren. Die wussten es nur nicht. Aber das störte in diesem Fall keinen großen Geist.

Essen wie die Räuber

Andererseits gibt es eine Reihe vermeintlich kleiner Dinge, die meinen großen Geist stören. Dazu gehört unpassendes Benehmen beim Essen. Tischmanieren gehören für mich zu den wichtigen und gleichzeitig schwierigen Erziehungszielen. Denn manchmal könnte man bei einem Mittagessen pausenlos an den Kindern herummeckern. Und dann schimpft man so lange, bis sie komplett auf Durchzug stellen und nichts mehr ankommt. Die große Schwierigkeit besteht darin, Tischmanieren im richtigen Maß einzuüben, ohne die Kinder zu drillen. Zuweilen dachte ich, die Kinder sehen gar nicht, was der Unterschied ist, zwischen ›in den Teller hängen‹ und ›nicht in den Teller hängen‹, zwischen ›neben dem Teller liegen‹ und ›nicht neben dem Teller liegen‹, zwischen ›schmatzen, dass sich die Balken biegen‹ und ›nicht schmatzen‹. Also machte ich die ›Essensprobe‹. Wir erklärten den Mittwoch zum ›Räubertag‹. Am Mittwochmittag darf jeder essen, wie er will, und niemand darf etwas beanstanden. Da merkte ich, sie kennen die Unterschiede ganz genau. Und an den anderen Tagen hilft jetzt manchmal schon der Satz: »Heute ist doch nicht Mittwoch.«

Geburtstagsrülpsen

Es gibt aber manche Dinge, von denen müssen Kinder tatsächlich erst einmal lernen, dass sie nicht immer passend sind. Wie stolz kam Jakob eine Tages aus dem Kindergarten. Er hatte von einem Freund etwas gaaaaaanz Tolles gelernt: Rülpsen. Doch dieses Rülpsen nahm wirklich überhand, bis ich einen klaren ›Rülpsschlussstrich‹ zog: Gerülpst wird nur noch an Geburtstagen! Dann aber gleich als Rülpswettbewerb, einer nach dem anderen im Uhrzeigersinn. (Ich bin, was Rülpsen anbelangt, der absolute Looser, habe dafür aber die größten Lacher auf meiner Seite.) Und das Beste: Die Kinder akzeptieren diese Regel ohne Wenn und Aber. Ob mein Sohn mittlerweile trotzdem in der Schule oder hinter meinem Rücken rülpst, weiß ich nicht und das ist auch seine Sache.

Ein Tag in Lügenhausen

Manchmal können Kinder zwischen Lügen, Flunkern und der Wahrheit noch nicht genau unterscheiden. So hatte mein Sohn Jakob
große Probleme mit einem Freund, der ihm wohl ziemlich viele Flunkergeschichten erzählte.
Also erfanden wir ›Lügenhausen‹. Und Sprüche wie »Wir sind hier
nicht in Lügenhausen!« oder »Das kannst du deiner Großmutter in
Lügenhausen erzählen!« halfen ihm ein wenig, damit umzugehen.
Wir fingen sogar an, uns eine richtige Geschichte mit Lügenhausen
auszudenken. In Lügenhausen darf man nämlich nie die Wahrheit
sagen, sonst kommt man ins Gefängnis. Ab und zu machen wir auch
mal einen Ausflug nach Lügenhausen, z. B. auf langen Autofahrten.
Da muss dann gelogen werden, bis sich die Balken biegen. Und der
beste Flunkerer wird ›Lügenkönig‹.

Pass doch besser auf!

Kindern fällt irgendwie mehr runter als Erwachsenen. Wirklich? Man sollte mal
eine Strichliste führen, um diese These zu untermauern. Doch vielleicht stellen wir
dann fest, dass uns fast genauso viele Missgeschicke passieren wie den Kindern.
Schließlich gibt es diese Tage, an denen stößt man überall an, und alles um einen
herum geht zu Bruch. Ich glaube Sätze wie »Stolper doch nicht so oft!« oder
»Wieso musste dir das Nutellabrot jetzt runter fallen?« sind genauso unsinnig wie
»Müssen deine Zähne jetzt so schief wachsen?«. Auf Papas Frage »Warum fällt
dir eigentlich immer alles runter?« antwortete neulich unser Sohn: »Stell dir vor,
es würde rauffallen, dann wäre die ganze Decke voll. Also sei doch froh!«
Meist ärgern sich die Kinder selbst schon genug über ihre Missgeschicke. Da ist doch
Schimpfen überflüssig. Oft misslingt alles auch eben dann, wenn man sich besonders
große Mühe gibt. Neulich beim Abendessen wollte Jakob sich gerade ein halbes hart
gekochtes Ei in den Mund stopfen, da sah ich aus dem Augenwinkel, wie das Eigelb
im Zeitlupentempo auf seine Hose fiel. Ich ertappte mich bei dem Gedanken »mei o
mei« (bayerisch und steht für »Fällt denn dem alles runter?!«). Fünf Minuten später
nahm ich die andere Hälfte des Eis und wollte ihm zeigen, wie man es richtig macht.
Da passierte mir genau das gleiche!

Das bisschen Haushalt ...

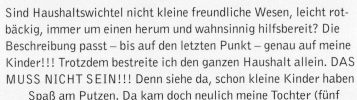

Haushaltswichtel

Sind Haushaltswichtel nicht kleine freundliche Wesen, leicht rot-bäckig, immer um einen herum und wahnsinnig hilfsbereit? Die Beschreibung passt – bis auf den letzten Punkt – genau auf meine Kinder!!! Trotzdem bestreite ich den ganzen Haushalt allein. DAS MUSS NICHT SEIN!!! Denn siehe da, schon kleine Kinder haben Spaß am Putzen. Da kam doch neulich meine Tochter (fünf Jahre) von unserer lieben älteren Nachbarin zurück und erzählte Folgendes: »Die Frau Burghardt putzt nicht gerne. Und da hab ich zu ihr gesagt, dass ich sehr gern putze. Und wenn sie wieder mal putzen muss, soll sie mir Bescheid sagen. Ich helfe ihr dann.« Na toll, meine Tochter geht woanders put-zen und ich versinke hier im Schmutz.

Ich erinnere mich an eine Zeit, in der die Kinder mit Vorliebe das Geschirr spülten. Zwar musste ich hier und da noch mal nachwischen, aber es machte uns großen Spaß, nebeneinander in der Küche zu arbeiten. Danach hatte ich Zeit, mit meinen Kindern zu spielen.

Eine andere Idee: Wie wäre es mit einem ›freien Tag‹ (fast freien Tag) für Mütter. Zum Beispiel jeden Ersten im Monat. Das heißt: Ums Tischde-cken, Abdecken, Aufräumen usw. kümmern sich die Kinder.

Autowaschen!

Für Kinder ist Autowaschen immer ein Spaß, v. a. wenn es so selten von Hand gewaschen wird wie bei uns. Mit Eimern, Lappen und aufgedrehtem Autoradio geht's ans Werk. Und weil wir gerade so gut bei der Arbeit sind, stellen wir die Fahrräder gleich daneben. (Achtung: Der Umwelt zuliebe sollten Sie zu einer Tankstelle fahren, die einen dafür vorgese-henen ›Waschplatz‹ hat!)

Was Kinder alles können und gerne machen (wenn sie es nicht immer machen müssen):

❧ Badewanne und Becken im Bad putzen,
❧ Töpfe spülen,
❧ Staub wischen,
❧ Handtücher zusammenlegen,
❧ Wäsche aufhängen,
❧ zum Mangeln mit in die Wäscherei gehen (ich kann mich heute noch an den Geruch der frischen Wäsche erinnern – ein Erlebnis),
❧ Fegen
❧ Blumen gießen
❧ Betten machen
❧ Puppenwäsche waschen, während Mama die große Wäsche wäscht
❧ Puppengeschirr spülen, während Mama den Geschirrspüler einräumt

Oder wie wäre es mit dem großen Socken-Memory? Man sammelt alle Socken der letzten Wäsche zusammen auf einen Haufen. Auf ›Achtung, fertig, los!‹ geht es los. Wer die meisten zusammenpassenden Socken hat, hat gewonnen.

Oder könnte man nicht einen bestimmten Tag zum Wichteltag erklären? Hilfe ist angesagt.

Essen oder nicht Essen

Das Befriedigende an der Hausarbeit ist vor allen Dingen, dass unsere Bemühungen von der ganzen Familie dankend gewürdigt werden. Man kennt das ja: Da kocht man etwas Schönes, steht lange am Herd und dann gucken die Kinder mit einem angewiderten Gesichtsausdruck in den Topf. Am besten hält man sich schnell die Ohren zu, bevor diverse Würgelaute einem selbst den Appetit verderben. Aus dem Grund wurde bei uns das Gesetz eingeführt, man hat erst das Recht, die Nase zu rümpfen, wenn man das Essen probiert hat. Außerdem haben wir einen ›Wunschtag‹ eingeführt, an dem sich jedes Familienmitglied im Wechsel etwas zu essen wünschen darf. Die anderen müssen dieses Gericht ohne mit der Wimper zu zucken mitessen. Dadurch spart man sich auch einmal in der Woche die Frage: »Was koche ich heute?« Außerdem habe ich festgestellt, dass es für die Kinder oft auch auf die äußere Erscheinung des Gerichts ankommt. Wenn ich es schaffe, aus dem Salat einen Bärchenkopf zu kreieren, oder wenn ich ab und zu den Käse in Mausform kaufe, habe ich schon mal bessere Karten, dass meinen Kindern das Essen schmeckt. Insgesamt gilt auch beim Thema Essen: ausprobieren, was das Zeug hält. Andererseits sollte man sich durch die Frage »Isst mein Kind genug?« nicht zu sehr unter Druck setzen lassen.

Der Plan der kleinen Pflichten

Eine andere Möglichkeit, die Hausarbeit etwas gerechter zu verteilen, ist der so genannte ›Plan der kleinen Pflichten‹. Seit kurzem hat
so jedes Familienmitglied bei uns an jedem Wochentag seine indi-
viduellen kleinen Aufgaben zu erledigen. Um die Übersicht nicht zu
verlieren, kaufte ich eine Magnettafel und malte einen Plan darauf.
Über der Spalte eines jeden hängt sein Foto (Paulina kann ja noch
nicht lesen), die Wochentage sind an Symbolen zu erkennen. Für die
Verteilung der Aufgaben haben wir Gegenstände aus Fimo geknetet,
an die wir Magneten geklebt haben, um sie wie benötigt zu verrut-
schen. Da steht z. B. ein Besen für Küche auskehren, ein Blumentopf
für Blumen gießen, ein Waschbecken für Beckenputzen und ein Bett
für Betten machen.

Gäste und Mitesser

Den Kindern gefällt es auch meistens, wenn man ihnen eine gewisse Verantwortung überträgt. So werden bei uns, wenn Gäste kommen, die Kinder von Anfang an miteingespannt. Denn sonst können die Vorbereitungen auf den Besuch ziemlich anstrengend werden. Wuseln die Kinder doch genau an solchen Tagen nur um einen herum, können sich nicht allein beschäftigen, und meistens fällt gerade dann irgendetwas runter und zerbricht in 1000 Scherben. Nicht zu vergessen die Wohnung, die man dank der Kinder gleich mehrmals aufräumen muss.

Also empfehle ich, heuern Sie am besten eine Putzkolonne, Hilfsköche und Tischdekorateure an. Lassen Sie doch mal die ganze Tischdeko von den Kindern gestalten! Wie wäre es mit Efeu aus dem Garten oder vielleicht aus Lego selbst gebauten Untersetzern? Warum nicht eine Reihe von Gummitieren, die von einem Tischende bis zum anderen im Gänsemarsch spazieren, oder selbst gemalte Tischsets, Tischkarten und Speisekarten? Auch Ober spielen, wenn die Gäste da sind, macht vielen Kindern Spaß. Oder bei Partys Garderobiere sein: Alle Mäntel kommen aufs Bett ins Schlafzimmer, evtl. dürfen die Kinder Garderobenmarken ausgeben.

Obwohl wir oft Gäste haben, sind diese Abende so für die beiden immer etwas ganz besonderes. Und das Beste dabei ist, einschlafen auf den Sofas, wenn die Unterhaltung als ein angenehmes Gemurmel in den Traum übergeht.

Welche Farbe hätten Sie denn gern?

Wann wird es einem egal, ob man zum Trinken den blauen, grünen oder gelben Becher bekommt? Für meine Kinder ist die Farbe der Becher, aus denen sie trinken, sehr wichtig. Aber fragt man einen Erwachsenen: »Welche Farbe hätten Sie gern?«, kommt doch meistens die Antwort: »Egal!« Aber vielleicht ist es gar nicht egal. Vielleicht schmeckt ein Saft aus dem grünen Becher besser als aus dem roten. So wie eine rote Decke schneller wärmt als eine grüne (für mich hat das zumindest so den Anschein). Später tut man dann wieder so, als ob Rotwein unbedingt aus einem Rotweinglas und Weißwein unbedingt aus einem Weißweinglas getrunken werden müsste. Aber Saft aus dem grünen Becher, das soll egal sein? Vielleicht ist das die Kraft der Gedanken oder die Vorstellungskraft, vielleicht hat es auch mit Fantasie zu tun. Also hören Sie genau hin, wenn Sie das nächste mal Ihre Gäste fragen: »Welche Farbe hätten Sie denn gern?«

Die selbst gemachte Einkaufsliste

Man höre und staune: Selbst Einkaufen mit Kindern kann Spaß machen!!! Es muss nur etwas mehr Zeit eingeplant werden und irgendein Anreiz für die Kinder dabei sein. Manchmal sage ich zu

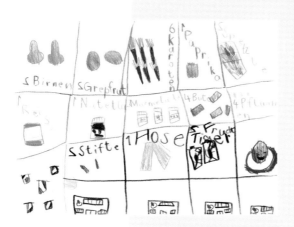

Beginn des Einkaufs zu meinen Kindern ganz ernst: »Marmelade dürfen wir auf gar keinen Fall vergessen. Paulina, merkst du dir das, bitte? Das ist ganz, ganz wichtig. Ach und Jakob, denkst du an zwei grüne und drei rote Äpfel?« Schwupps, schon haben die Kinder beim Einkauf eine Aufgabe.

Das brachte mich auf die Idee, die Kinder mal selbst zu Hause eine Einkaufsliste machen zu lassen. Wir überlegten gemeinsam, was wir alles brauchen. Und jeder malte es, so gut er eben konnte, auf seine Liste. Stolz auf unsere Listen zogen wir los. Die Kinder schnappten sich den Einkaufswagen und ich musste nur noch hinterherlaufen und ab und zu die Preise kontrollieren oder gegebenenfalls Produkte austauschen. Preise vergleichen ist übrigens für Schulanfänger eine gute Übung fürs Rechnen.

Auch wenn diese Art von Einkauf etwas mehr Vorbereitung braucht und vielleicht auch mehr Zeit, so hatten wir dafür alle sehr viel Spaß. Und wir kaufen ja nicht immer so ein!

Mit größeren Kindern kann man auch einen Detektiveinkauf machen, bei dem man alles verschlüsselt, was man braucht. Wegen der vielen feindlichen Spione! Zum Beispiel:

- Schneckenlieblingsessen (Salat)
- Knackendes Frühstück (Cornflakes)
- Muhsaft (Milch)
- gelbes Mäusefutter (Käse)

Aufräumen

Jetzt kommen wir zu einem Thema, bei dem auch ich an meine Grenzen gestoßen bin. Habe ich doch zwei Kinder, die nicht gerade zur Ordnung geboren sind. Ein unordentliches Zimmer stört sie einfach nicht. Und solange man in Wohnzimmer oder Flur ausweichen kann, ist ja immer genügend Platz zum Spielen da.

Wir nahmen das Problem in Angriff, indem wir den Freitag zum Aufräumtag erklärten. Dann beschlossen wir, jeden Abend das Kinderzimmer noch aufzuräumen. Das Ganze gestaltete sich aber trotzdem schwierig, da unsere Kinder zwei tolle fantasievolle Spielkinder sind, die oft über mehrere Tage ein Spiel spielen. Sie kombinieren ihre Spielsachen dabei so, dass z. B. die Gummitiere in einem Zoo aus Lego von Playmobilmenschen besucht werden. Alles ist so schön aufgebaut, dass man es nicht übers Herz bringt, nach einem Tag wieder aufzuräumen.

Ordnung ist die Lust der Vernunft – Unordnung die Wonne der Fantasie.
Paul Claudel

Manchmal räumte ich allerdings auch mehrmals am Tag das Kinderzimmer auf. Dann gab ich es wieder für mehrere Wochen ganz auf. Ich räumte immer wieder mal alles um, da ich dachte, eine neue Ordnung würde es den Kindern leichter machen, auch Ordnung zu halten.

Die Roboterkinder funktionieren zuweilen. Auch habe ich gemerkt, dass für Kleinere das Kommando »Zimmer aufräumen!« schwierig umzusetzen ist. Besser sind knappe, präzise Angaben: »Alle Gummitiere in den Karton!« Oft hilft es auch, eine lustige Musik aufzulegen und nach dieser das Zimmer aufzuräumen. Wenn das Lied vorbei ist, erstarren alle, bis das neue losgeht. Zumindest räume ich jetzt schon nicht mehr alleine auf, sondern bestehe darauf, dass mir die Kinder helfen. (Doch komischerweise wird meine Tochter immer ganz plötzlich ganz furchtbar müde.) Falls also jemand fantasievolle Vorschläge zum Thema Zimmeraufräumen hat, bitte ich um baldige Zusendung!

Was ist Zeit, wie viel ist Geld?

Die Woche – für Groß und Klein

Oft ist es für Kindergartenkinder schwer, eine Woche einzuschätzen. Ich versuche mir manchmal vorzustellen, wie das ist, wenn man absolut kein Zeitgefühl hat, und ich komme zu der Erkenntnis, es muss wahnsinnig schön sein.

Trotzdem wollen die Kinder oft einen Anhaltspunkt. Deshalb ist eine Woche mit wiederkehrenden Ritualen gut.

- Samstag = Semmel- und Müslitag (d. h. frische Brötchen und Müsli zum Frühstück)
- Sonntag = Eiertag
- Montag = Kauftag (da wird die Brotzeit nicht zu Hause geschmiert, sondern beim Bäcker gekauft)
- Dienstag = Vorschule (im Kindergarten)
- Mittwoch = Turnen (im Kindergarten)
- Donnerstag = Wunschtag (einer darf sich etwas zum Essen wünschen)
- Freitag = Klavierunterricht und deshalb schnelles Essen
  Jeder hat natürlich andere Dinge in seiner Woche. Einen festen ›Omatag‹ oder einen festen ›Freundetag‹. Wie auch immer, sich wiederholende Ereignisse geben einem einfach Sicherheit.

Auch für die Eltern als Paar ist es wichtig, sich nicht zu vergessen. Solange die Kinder noch klein sind, bleibt oft wenig Zeit für die Zweisamkeit. Manchmal vergehen die Tage und schon wieder ist eine Woche um. Und es ver-

> Warte nie, bis du Zeit hast, denn dann könnte es zu spät sein.

gehen Wochen und schon wieder ist ein Monat um. Wo bleibt man da als Paar? Und wie frustrierend ist es, dann am Abend nur noch vor dem Fernseher bei der zweiten Werbepause nebeneinander einzuschlafen?

Das wichtige dabei ist, diesen Mangel zu bemerken und zu versuchen, Abhilfe zu schaffen. Das klappte bei uns (es klingt frustrierend, aber es hat sich gelohnt) mit einem Wochenplan. Wir Eltern gestalten jeden Abend – wenn die Kleinen im Bett sind – anders:

Montagabend – etwas schönes Kochen und reden, bei Kerzenschein

Dienstagabend – der Sport- oder Fernsehabend (z. B. er geht zum Sport, sie sieht sich mit einer Freundin ›Sex and the City‹ an)

Mittwochabend – Kartenspiel (manchmal vergisst man, wie viel Spaß es macht)

Donnerstagabend – Filmabend (man sieht sich eine DVD an, vielleicht sogar im englischen Original, um seine Sprachkenntnisse aufzubessern)

Freitagabend – Ausgehen (im Wechsel einer oder gemeinsam – um nicht jede Woche einen Babysitter bezahlen zu müssen)

Denk mal drüber nach: Geschirr steht auch noch in 20 Jahren da und will gespült werden. Die Kinder wollen jetzt mit uns spielen, etwas mit uns unternehmen.

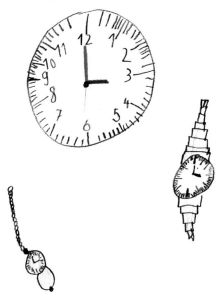

Der Familienstammtisch

Ich glaube ein großes Manko unserer Gesellschaft ist, dass wir aufgehört haben, wirklich miteinander zu reden. Bis auf die Dinge, die man sagen muss. Aber so ein offenes Gespräch, in dem jeder mal sagt, was er denkt, fühlt oder will, was ihn ärgert oder freut, führen viele nicht mehr. Oft rennt die Zeit weg und überrollt uns fast und wir haben das Reden über Gefühle vergessen und verlernt. Mein Vorschlag dazu: ein Familienstammtisch. Und, um den nicht zu vergessen, schlage ich auch hier eine feste Regelung vor, z. B. jeden Ersten im Monat oder an jedem ersten Wochenende im Monat.

Wundern Sie sich nicht, wenn die Kinder zunächst gar nicht wissen, was sie sagen sollen. Man muss auch so etwas erst einmal lernen. Wenn keine Klagen oder besondere Punkte anstehen, die man erörtern will, kann man auch einfach eine Frage/Antwort-Stunde machen, eine Art Interview. Fragen Sie doch einmal, was Ihr Kind später werden will. Es darf fünf Berufe nennen, die es toll findet. Im Gegenzug erzählen Sie, was Sie früher werden wollten. Vielleicht redet man auch über Dinge, die man in seinem Leben unbedingt einmal sehen oder erleben will. Sie werden staunen, was da herauskommt!

Der Jahreszeitenzweig

Meine Kinder lieben es, die Wohnung im Verlauf des Jahres immer wieder umzudekorieren. Wir nehmen nahezu jedes Fest mit: ob Halloweengeister oder Valentinsherzen, Faschingsgirlanden oder Herbstblätter. Da kam mir die Idee, einen Jahreszweig in einer Vase an einen bestimmten Platz ins Wohnzimmer zu stellen, den man je nach Jahreszeit schmücken kann.

Ferien- und Geburtstagskalender

Wenn man den ersehnten Urlaub nicht mehr abwarten kann, schleicht die Zeit bis zum Ferienbeginn nur so dahin. Besonders für Kinder dauert es oft wahnsinnig lang, bis endlich die ersehnten Ferien da sind – oder der Geburtstag, auf den sie hinfiebern. Und die Fragerei »Wann ist es endlich soweit?« will gar nicht mehr aufhören. Außerdem nützen den Kleinen Antworten wie »in anderthalb Monaten« gar nichts. »Was heißt das, › anderthalb Monate‹, ist das einmal schlafen oder fünfmal schlafen?«

Der Ungeduld ist ein wenig Einhalt geboten mit einem so genannten Ferien- oder Geburtstagskalender. Auf ein Blatt werden (mit dem Kind) große Kästchen oder Kreise gemalt, für jeden Tag eins. Am besten immer sieben nebeneinander, dann bekommt man gleich ein Gefühl für die Wochentage. Nun schreibt man das Datum und den Wochentag ganz klein in das Kästchen und zählt die Tage bis hin zum Ereignis. Diese Zahlen schreibt man – von heute an rückwärts zählend – ins Kästchen. Jetzt darf das Kind die Wochentagsereignisse in die jeweiligen Kästchen malen, z. B. jeden Freitag ein Klavier für Klavierunterricht, jeden Sonntag ein Ei sowie Symbole für Geburtstage oder Feste, die in dieser Zeit noch anstehen. Dann kann der Plan übers Bett gehängt werden, am besten mit einem Stift an einer Schnur, und ab jetzt wird jeden Tag ein Kästchen abgestrichen. So kann man förmlich zusehen, wie man sich langsam aber sicher auf die Ferien/den Geburtstag zu bewegt. Oder wie wäre es mit dem bei Wehrdienstleistenden so beliebten Maßband, bei dem man rückwärtszählend jeden Tag einen Zentimeter – entspricht einem Tag – abschneiden darf?

PAULINA'S URLAUBSPLANER

Eine Verabredung

In den Zeiten, in denen ich viel arbeite und mir das schlechte Gewissen wieder mal im Nacken sitzt, schlägt natürlich der Satz »Mama spielst du mit uns?« genau in die Kerbe.

Darum habe ich mit meinen Kindern in diesen ›harten‹ Zeiten angefangen, richtige Verabredungen zu treffen. Ich schaue in den Kalender und verspreche den beiden, mein nächster freier Nachmittag wird ihnen gehören. Sie lassen sich noch einmal genau sagen, wann dieser ist und wie oft sie noch schlafen müssen. Und auch ich trage den Termin in meinen Kalender ein, um dann an diesem Tag auch tatsächlich alles liegen und stehen zu lassen und mit meinen Kindern im Kinderzimmer zu verschwinden.

Auch für viel beschäftigte Väter wäre dies eine gute Möglichkeit, den Freitagabend oder den Samstag als festen ›Kindertermin‹ in den Kalender einzutragen.

Für so etwas habe ich keine Zeit

Haben Sie diesen Satz schon mal gehört? Der ist aber ganz falsch. Er müsste heißen: »Für so etwas nehme ich mir keine Zeit, das steht auf meiner Prioritätenliste nicht ganz oben!« Denn ich bin der Meinung, was man wirklich schaffen will, das schafft man auch. Manche Mütter wundern sich oft, was ich alles schaffe trotz Kindern, Beruf, Haushalt usw. Aber wenn man genau hinsieht, bemerkt man auch die Dinge, die ich dafür nicht schaffe: z.B. Bücherlesen, Zeitschriftendurchblättern, Bügeln und die Wohnung ordentlich halten. Ich glaube, jeder von uns hat eine innere Prioritätenliste, nach der wir vorgehen. Und so schaffen es eben einige Mütter, ihr wohlverdientes Entspannungsbad zu machen (war für mich immer undenkbar). Einige sind trotz Kindern literarisch auf dem neuesten Stand und andere haben immer super gepflegte Fuß- und Fingernägel. Achten Sie mal darauf! Es gibt sicher etwas, was Sie schaffen und andere Mütter nicht. Und ärgern Sie sich nicht über Mütter, die Ihrer Meinung nach mehr schaffen. Jeder schafft das, was er will.

Fernsehfreie Woche

Zuweilen kann es auch gut sein, aus festen Ritualen und Plänen auszubrechen und einen Tag – oder eine Woche – mal anders zu gestalten als sonst. Mein Vorschlag: eine fernsehfreie Woche. Das klingt wie eine Strafe, muss es aber nicht sein. Ich finde es manchmal wichtig, sich selbst zu beweisen, dass man nicht von irgendwelchen Dingen abhängig ist, wie zum Beispiel Fernsehen oder Süßkram.

Außerdem habe ich oft bemerkt, dass bei erhöhtem Fernsehkonsum die Konzentration für anderes bei den Kindern nachlässt. Auch in Phasen, in denen meine Kinder nur schwer einschlafen können oder schlechte Träume haben, tut eine kleine TV-Pause ganz gut.

Zudem schafft der Wegfall einer Gewohnheit meist Raum und Zeit für andere Dinge. Die Abende können jetzt mal wieder genutzt werden zum Spielen, Vorlesen oder gemeinsamen Malen. Oder wie wäre es mit einem Erzählabend? Geschichten von früher, selbst ausgedachte Märchen, Flunkergeschichten oder Erzählungen vom Tag? Und als Belohnung des Ganzen wäre am siebten Tag ein Heimkino mit Popcorn für die ganze Familie angesagt. Viel Spaß dabei!

Heimkino

Fernsehen gehört ja für viele zur Tagesordnung. Aber ein so genanntes Heimkino ist da doch mal etwas anderes. Man kann dazu auch mehrere Kinder aus der Nachbarschaft einladen und sollte möglichst einen ganz besonderen Film aussuchen. Das Wohnzimmer braucht möglichst viele Kissen auf dem Boden oder andere Sitzgelegenheiten. Die Vorhänge müssen zugezogen werden und natürlich darf man das Popcorn und die Saftbar nicht vergessen.

Taschengeld

Kino ist natürlich für viele Kinder eine Geldfrage. Doch Letzteres ist den Kindern oft schwer begreiflich zu machen. Denn bevor Kinder Taschengeld bekommen, haben sie oft nicht den geringsten Schimmer, wie viel Geld wert ist, oder was man für wie viel Geld bekommt.

Um zu verdeutlichen, dass es nicht darauf ankommt, möglichst viele Münzen zu haben, sondern welcher Wert auf den Münzen steht, kann man vor den Augen der Kinder kleine Geldhäufchen aufstapeln. Es ist eine Erfahrung, 20 einzelne Cent in den Händen zu halten und zu begreifen, das ein kleines 20-Cent-Stück genauso viel wert ist. Und dann sollten die Kinder mal mit diesem 20-Cent-Stück in den Laden gehen und gucken, was man heute noch für 20 Cent bekommt. Gibt es überhaupt noch etwas für 20 Cent? Kaugummi vielleicht. Und da gibt es diesen tollen Kiosk, der die Brausestäbchen und das Esspapier noch einzeln verkauft und in kleine Dreieckstüten verpackt. Ein Lichtblick!

Ihr Taschengeld können die Kinder auch mal mit einem kleinen Stand auf der Straße oder auf einem Flohmarkt aufbessern, an dem man selbst gemachte Dinge verkauft, wie bemalte Steine, Lesezeichen, selbst entworfene Postkarten etc.

Lernen will gelernt sein

Lernhilfen

Wichtig ist es, den Spaß am Lernen nicht zu verlieren. Ein Weg
dazu ist der spielerische Umgang damit. So ist Lesenlernen für viele
Kinder ziemlich anstrengend und nicht jedes Kind greift gleich zum
Buch. Ganze Seiten sehen auf den ersten Blick oft unüberwindlich
aus. Deshalb ließ ich Jakob am Anfang von unserem allabendlichen
Vorlesebuch immer nur die wörtlichen Reden laut lesen. So konzen-
trierte er sich sowohl auf das, was ich las, als auch auf die Suche nach
Gänsefüßchen und darauf, seine Stimme den jeweiligen Personen
anzupassen.

Außerdem schrieben wir auf kleine Karteikärtchen in Großbuchsta-
ben einfache Worte: PULLI, FENSTER, TÜR, MAMA, SESSEL etc.
Jakob durfte damit durch die Wohnung gehen und die Karten an die
jeweiligen Dinge hängen.

Das war auch ein lustiges Spiel für draußen: Wir schrieben BAUM,
BLUME, BUSCH und ab und zu ein Wort, über das
er lachen musste, wie zum Beispiel VOGEL, konnte er
doch wirklich keinen Vogel finden, der sich freiwillig
einen Zettel um den Hals hängen ließ.

Für Fächer wie Heimat- und Sachkunde, Biologie
o. Ä. eignet sich z. B. Günther Jauchs ›Wer wird Millionär?‹: Ich stelle eine Frage und gebe vier mögliche
Antworten vor. Bei richtiger Lösung gibt es einen Mug-
gelstein oder einen Cent.

Oder wie wäre es mit Dalli Dalli?
»Wie viele Säugetiere kennst du? Dalli Dalli!« (Hierfür wäre eine Stoppuhr angebracht. Die Anschaffung
lohnt sich auf jeden Fall, auch für andere Dinge, bei
denen die Kinder etwas zu langsam sind.)

Klavierüben

Oft kommt es beim Lernen jedoch gar nicht so sehr auf Schnelligkeit an, sondern vielmehr auf Regelmäßigkeit und Ausdauer. So wollten unsere Kinder unbedingt Klavierspielen lernen, wobei sie unter ›lernen‹ jedoch ›können‹ verstanden und nicht ›üben‹. Wenn die Klavierlehrerin vor der Tür stand, wurde uns immer bewusst, wie schnell die Woche wieder vorbeigeflogen war. Jeden Abend fragte ich kurz vor dem Zubettgehen ganz vorsichtig nach, ob denn nicht noch jemand Klavier üben möchte. Eigentlich wollte ich meinen Kindern keinen Druck machen, aber um nur hin und wieder mal zu üben, waren die Unterrichtsstunden einfach zu teuer und ohne Erfolgserlebnisse macht auch Musik keinen Spaß. Also entwarf ich einen Übungsplan:

Da gab es fünf Kästchen für jedes Lied, das man aufhatte. Jeder durfte selbst bestimmen, wann er übt und wie oft am Tag. So hatte man die Wahl, z. B. konnte man ein Stück am Sonntag fünfmal hintereinander spielen oder an fünf Tagen je einmal. Pro Übung kreuzte man ein Kästchen an und hatte so den Überblick. Waren alle Kästchen voll, durfte man sich eine Belohnung aus unserer Sternenkiste (s. S. 42) aussuchen. So verstanden die Kinder langsam, wie man sich selbst das Üben einteilen kann. Aber das Tollste war, dass ich die Verantwortung für das Klavierspiel meiner Kinder los war und mich auf mein eigenes Spielen konzentrieren konnte (denn auch ich nahm wieder Stunden). Erfreulich war dabei, dass sich der Eifer beim Üben mit der Zeit verselbstständigte. Nach einem halben Jahr brauchten wir weder den Plan noch die Sternenkiste. Mittlerweile ist die Freude an einem gut gekonnten Klavierstück Belohnung genug.

Lernen leicht gemacht

Mit einer Reihe von ausgedachten Textaufgaben machte ich unserem »Vorschulkind« Lust aufs Rechnen.

❥ Vier Hühner rennen über die Straße (booook, booock, booock) ... Zwei Hühner legen je ein Ei, ein Huhn legt zwei Eier. Dann kommt ein Auto angefahren und fährt über eins der Eier, wie viele Eier liegen noch auf der Straße?

Man kann diese Textaufgabe beliebig ändern, erschweren und variieren.

❥ 10 Hühner rennen über die Straße, zwei legen zwei Eier, eines drei Eier und vier legen nur ein Ei. Aus drei Eiern schlüpfen Kücken und laufen aufgeregt davon, kommen zwei Autos angefahren. Das eine fährt über drei Eier, das andere nur über eines. Wie viele Eier liegen noch auf der Straße?

Spiele
für drinnen und
draußen

Regentage

Pyjamatage

Natürlich gibt es kein wirklich schlechtes Wetter, sondern nur falsche Kleidung, d. h. rausgehen kann man eigentlich immer. Doch da wir Eltern am Wochenende immer sehr viel unternehmen wollen, kam von unseren Kindern immer öfter die Bitte: »Wir wollen mal einen ganzen Tag zu Hause bleiben und nur spielen.« So entstanden unsere Pyjamatage, an denen man eben einfach von morgens bis abends nicht aus seinem Schlafanzug herauskommt. Manche nennen es auch ›rumgammeln‹. Noch schöner ist so ein Tag dann, wenn es draußen wie aus Kübeln regnet. Abgesehen davon, dass die Kinder ihre Türe zumachen, um in Ruhe stundenlang aufbauen und spielen zu können, wir uns mit einem Buch aufs Sofa legen oder irgendwo ›rumkruschteln‹, eignen sich solche Tage natürlich auch für außergewöhnliche Spiele in der Wohnung, wie z. B. Verstecken.

Klingt jetzt nicht wirklich außergewöhnlich, aber wenn auch die Eltern mitmachen, ist es das in der Tat – selbst wenn die Kinder schon etwas größer sind. Und es gibt Verstecke in der Wohnung, da kann man schon mal 20 Minuten sitzen, ohne entdeckt zu werden (ich spreche da aus Erfahrung). Spannend ist auch ›Verstecken im Dunkeln‹ mit Taschenlampe.

An Regentagen tut es immer auch besonders gut, die Musik mal aufzudrehen und ›abzutanzen, was das Zeug hält‹. Das macht auch der Mami Spaß.

Ein Picknick auf dem Teppich

Kinder lieben ja – wie schon gesagt – Rituale, aber genauso lieben sie es, Dinge mal ganz anders zu machen. Sonntags statt des Mittagessens mal ein Picknick draußen auf der Wiese veranstalten. Oder noch besser, wenn es regnet, mitten im Kinderzimmer auf einer Decke am Boden picknicken. (Natürlich muss sich das Essen dazu eignen. Suppe ist nicht gerade empfehlenswert, aber z. B. Quiche oder Würstel oder Bouletten!) Und wie wäre es mal wieder mit Frühstück im Bett? Ja, ich weiß, die Krümel! Aber wozu gibt es Staubsauger?

Weihnachten im Sommer

Es gibt noch viele andere Möglichkeit, aus dem alltäglichen und jahreszeitlichen Rhythmus mal auszubrechen. So bekamen meine Kinder eines Tages mitten im Sommer Sehnsucht nach Weihnachten. Es regnete draußen, und sie beschlossen, Weihnachten nachzuspielen.

Dafür hängte ich ihnen ein längliches Papier an die Türe, auf das sie einen grünen Tannenbaum malten. Nun bastelten sie Sterne und schnitten Anhänger aus Papier aus, die sie mit Hilfe einer Leiter, an den ›Baum‹ klebten. Als der Baum fertig geschmückt war, zogen sie sich feine Kleidung an, sangen einige Weihnachtslieder und schenkten sich sogar Dinge, die sie in Tücher eingepackt hatten.

Ein andermal kamen sie im Winter mit Handtüchern und Badekappe ins Wohnzimmer und erklärten es zum Schwimmbad. Sie schmierten sich mit Sonnencreme ein, zogen ihre Badesachen an und sprangen vom Beckenrandsofa ins ›Wasser‹. Ich konnte es nicht lassen, hängte einen Plastikfisch an eine Schnur und ließ ihn um die Kinder herum schwimmen.

Das Regentropfenwettrennen

Dieses Beobachtungsspiel kann man am besten im fahrenden Auto oder Zug machen, wenn die Regentropfen vom Fahrtwind angetrieben eine wilde Jagd veranstalten. Aber auch am Fenster im Wohnzimmer kann man kleine Wetten veranstalten: Jeder tippt auf einen Regentropfen, der als erster den Fensterrahmen erreichen soll. Ob er sich auf seinem Weg nach unten mit anderen vereinigt, ist dabei egal. Man könnte allerdings auch zusätzliche Punkte verteilen für hinzugekommene Tröpfchen. Spaß macht es in jedem Fall.

Synchronisieren

Eine weitere schöne Spielidee, die sich auch gut für Schlecht-Wetter-Tage eignet, ist, anderen Leuten seine Stimme und Sprache zu leihen. Beruflich mache ich das normalerweise mit ausländischen Schauspielern oder Comicfiguren, d. h. die machen den Mund auf und ich sorge für den Ton dazu. Dabei muss ich aufpassen, dass ich anfange, wenn der Mund aufgeht, und dass ich (idealerweise) mit meinem Satz fertig bin, wenn der Mund zugeht.

Doch man kann daraus auch wunderbare Spiele für zu Hause machen:

A: Wir stehen am Fenster und beobachten Leute, die sich unterhalten. Da sie so weit weg sind, können wir nicht verstehen, was sie sagen. Also müssen wir einen neuen Text auf ihre Lippenbewegungen erfinden. Da sagt dann schon mal Frau A zu Frau B: »Ich habe so einen Hunger, ich könnte Sie auf der Stelle verschlingen.« Darauf Frau B: »Aber mit Ketchup und Mayo schmecke ich am besten.«

B: Auf dem großen Baum vor unserem Haus sitzen eine Menge Raben. Es sieht fast aus wie eine Versammlung. Also, krächzige Rabenstimmen auspacken: »Achtung, grrrrroße R R R R R Rabenverrrrsammlung, wir müssen besprrrrrrechen, wie wirrr die Tauben dazu überrreden, sich uns anzuschließen. Aberrr die Tauben sind so taub, die hörrren nichts.«

C: Witzig ist es auch, einen Film oder Werbung ohne Ton laufen zu lassen und neuen Text darauf zu sprechen. Ich gebe zu, manche Dinge hören sich wirklich albern an. Aber Albernsein ist vielen Erwachsenen – leider – abhanden gekommen. Also, seid albern!!!

Jeder Mensch ist ein Clown, aber nur wenige haben den Mut, es zu zeigen.

Charlie Rivel

Autofahrten und Wartezeiten

Wwwwwwunschkonzert

Spätestens bei Augsburg (nur 50 km entfernt von zu Hause) ist unser Reiseproviant halb aufgebraucht und Sätze wie »Wann sind wir endlich da-a?«, »Sind wir schon am Me-er?« oder »Ich muss mal Pipi!« sind in die Fahrtwindgeräusche mit übergegangen. Da muss man schon mal erfinderisch werden, wenn man nicht sechs Stunden von Töröö-Benjamin Blümchen die Ohren vollgetrötet haben will.

Das Wunschkonzert ist eines der beliebtesten Spiele auf Autofahrten bei uns geworden. Man könnte es so umschreiben: Einer ist die Musikbox oder der Radiomoderator und die anderen dürfen sich ein Lied wünschen. Und das sieht so aus: Ich bin die Musikbox, wirble mit meinen Fingern durch die Luft im Kreis und sage dabei: »Wwwwwwwunschkonzert«. Dann ›spiele‹ ich einen Tusch und wenn der Tusch vorbei ist, haben sich meine Finger (wie ein Zufallsgenerator) einen aus der Familie ausgesucht, der sich das nächste Lied wünschen darf. Er darf ganz frei wählen, welches er möchte. Dabei ist auch egal, ob es diesen Song überhaupt gibt. Erst mal war ich völlig verblüfft, wie viele Lieder man doch so in

Der Hubbabubba-Wettbewerb

Der erste richtig ungesunde Kaugummi ist für Kinder ein wahrhaftes Erlebnis. Auch ich selbst hatte seit Jahren keinen richtigen Hubbabubba mehr gekaut. Nun saßen wir zu dritt vor einem riesigen Spiegel und kauten unsere Kaugummis weich, denn ich wollte meinen Kindern das ›Blasenblasen‹ beibringen. Wir lagen am Boden vor Lachen, denn entweder wurden die Blasen ein totaler Flopp oder so groß, dass sie schließlich zerplatzten und die Fetzen nicht nur auf meiner Nase klebten. Die Kinder pusteten und pusteten, und es dauerte sehr lange, bis die ersten klitzekleinen Blasen entstanden. Aber wir sahen im Spiegel alle drei so komisch aus, dass ich diesen Anblick nicht so schnell vergessen werde.

seinem Kopf gespeichert hat, und zu wie vielen Themen es Lieder gibt. Hier ein Beispiel: Jakob sagt »Sahnelied!« – Na? Udo Jürgens ›Aber bitte mit Sahne‹, da kommt einem seine Schlagerzeit von früher zu gute. Wenn man zu einem Wunsch kein passendes Lied weiß, kann man entweder ein anderes spontan umtexten oder eines ganz neu erfinden. Und dazu muss man weder ein guter Sänger sein noch ein begnadeter Komponist. Denn ich habe festgestellt, die unsinnigsten Texte sind für die Kinder am lustigsten. Als mein Sohn z. B. das ›Tarzanlied‹ hören wollte, musste ich eines erfinden. (Mittlerweile weiß ich aber, dass es auch hierzu eines gibt: ›Tarzan ist wieder da‹.) Meins hatte den blöden Text:
»Ualala ualala uh, ich bin der starke Tarzan, der starke, starke Tarzan, und ich schwing von Ast zu Ast, weil mir das passt.« Jedenfalls kam dieses Lied bei den Kindern so gut an, dass fast jeder zweite Wunsch eben dieses ›Tarzanlied‹ war, und die Kleinen lachten sich jedes Mal wieder schlapp.

Vertauschen Sie die Melodie!

Eine weitere musikalische Herausforderung ist es, bekannte Lied-
texte auf eine andere Melodie zu singen. Das erforderte eine Menge
Konzentration, aber dafür macht es auch enormen Spaß. Versu-
chen Sie doch mal, ›Hänsel und Gretel‹ auf die Melodie von ›Pippi
Langstrumpf‹ zu singen oder ›Hänschen klein‹ auf die Melodie von
›Summ, summ, summ, Bienchen summ herum‹.
Oder man versucht, populäre Lieder umzutexten. Hierfür eignet sich
z. B. das Lied von der Vogelhochzeit sehr gut:

»Der Opa tanzt im Kreis herum
und stößt die teure Vase um,
fiderallalla, fiderallalla, fiderallalallala ...«

Auch hier gilt: je alberner, desto besser.

Ich halte mich fit mit ...

Damit auch mal andere Körperteile als der Mund
sich bewegen dürfen, kommt hier ein Vorschlag, ein
alt bekanntes Spiel zu variieren: z. B. ›Ich packe
meinen Koffer ...‹ mit Gesten. Es könnte dann so
losgehen:

> **Lachen ist die beste Medizin.**
> *Redensart*

    »Ich halte mich fit mit ...«
    Der erste streckt die Zunge raus.
    »Ich halte mich fit mit ...«
    Der zweite streckt die Zunge raus und bewegt den Arm vor und
    zurück.
    »Ich halte mich fit mit ...«
    Der dritte streckt die Zunge raus, bewegt den Arm vor und zurück
    und lässt den Kopf kreisen usw.
Die Kette der Bewegungen kann ziemlich lang werden und erfordert
ebenso viel Konzentration wie das ursprüngliche Spiel mit den Worten.

Laute Verkehrszeichen

Ein weiteres albernes Spiel mit Lauten ist das Zuordnen von Geräuschen zu vorbeiziehenden Verkehrszeichen. Mit kleinen Kindern fängt man erst mal klein an:

> ❥ Bei jedem gelben Verkehrsschild muss man bellen.
> ❥ Bei jedem blauen Verkehrsschild muss man grunzen.
> ❥ Bei jedem anderen Verkehrsschild muss man pfeifen (soweit das schon geht).
> ❥ Bei jeder Unterführung wird ein Indianergeheul angestimmt (soweit es den armen, autofahrenden Papa nicht nervt, sonst einfach leisere Geräusche auswählen).

Und nun geht es los. Verkehrsschilder entdecken und das richtige Geräusch hervorbringen.

Bei größeren Kindern wird der Schwierigkeitsgrad natürlich höher, da heißt es:

> ❥ Bei jedem Autobahnschild muss man wiehern.
> ❥ Bei jedem Tempo-120-Schild muss man jodeln.
> ❥ Bei jedem Parkplatzschild muss man schnalzen.
> ❥ Bei jedem Wildwechselschild muss man klatschen usw.

Sprechende Nummernschilder

Ein Sprach- und Rechenspiel für Grundschulkinder:
Aus den Buchstaben eines Nummernschilds muss man einen Satz bilden und die Zahlen muss man zusammenrechnen. Für das alles hat man Zeit, so lange das Auto zu sehen ist.
Ein paar Beispiele:
M-LL 631 = Michael lacht laut, zehn.
K-AU 748 = Kai angelt unglaublich, 19.

Erzähl uns mal aus deiner ›Früherheit‹!

Ein bisschen ruhiger geht es beim Geschichtenerzählen zu. ›Erzähl uns mal aus deiner Früherheit!‹ ist ein sehr beliebtes Spiel bei uns auf langen Autofahrten oder um Wartezeiten in Restaurants oder beim Arzt zu verkürzen.

Dann krame ich in meiner Erinnerungs-Schublade im Kopf und stoße auf erstaunliche Geschichten. Die interessantesten sind die, die eigentlich gar nicht so spektakulär sind. Wie die Geschichte von dem Wassertankauto, das immer im Sommer durch unsere Wohngegend fuhr und Wasser auf die Pflastersteine spritzte (warum weiß ich heute noch nicht). Wir zogen unsere Schuhe aus und liefen hinter dem Auto her, um nasse Füße zu bekommen. Das wollen sie immer wieder hören.

Je tiefer man dabei in sein Gedächtnis hineingeht, desto mehr kommen, Stück für Stück, Erinnerungen an die Kindheit hervor.

Es kann auch sehr interessant sein, die Oma – oder die Uroma oder einfach eine ältere Nachbarin – an einem Regentag zu besuchen und nur mal zu bitten: »Erzähl mir etwas von früher!«

Meine Tochter hat jetzt übrigens angefangen, ein Tagebuch zu ›schreiben‹ (d. h. ich schreibe, sie diktiert!), damit sie sich später, falls ihre Kinder auch mal fragen, »an ihre Erinnerungen erinnern kann« – wie sie sagt.

Wer wird Centionär?

Mindestens so anstrengend, wie sich an ›seine Erinnerungen zu erinnern‹, ist es, sich Quizfragen auszudenken. Ähnlich wie bei Jauchs ›Wer wird Millionär?‹ gibt es bei unserem Quiz mehrere Antworten zur Auswahl: A, B oder C. Wenn man richtig tippt, erhält man einen Cent. Wer zehn Cent hat, ist der neue Centionär!

Auch mit alten Fernsehsendungen wie ›Dalli Dalli!‹, ›Montagsmaler‹ und ›Was bin ich?‹ vergehen einige Kilometer wie im Flug.

Dalli Dalli!:

- »Nennen Sie alle Begriffe, die ihnen beim Wort ›Urlaub‹ (›Weihnachten‹, ›Schule‹, ›Familie‹ etc.) einfallen! Dalli Dalli!« Der Quizmaster muss nun mit der Uhr eine Minute stoppen und währenddessen die gültigen Begriffe mitzählen.
- »Bilden Sie einen langen Satz, der mit den Worten ›Wenn ich aufstehe...‹ (›In meinem Zimmer ...‹, ›Wenn ich Hunger habe, ...‹, ›Meine Oma ist ...‹) beginnt! Dalli Dalli!«

Montagsmaler:

- Hierfür braucht man natürlich Zettel und Stift. Dann muss man sich die darzustellenden Begriffe ausdenken, evtl. legt man auch Überbegriffe fest (z. B. Beruf, Sprichwort, Tier, zusammengesetztes Substantiv etc.) und wieder geht es mit der Stoppuhr los. Einer malt, einer rät.

Was bin ich?:

- Einer denkt sich einen Beruf aus (z. B. Maler, Sekretärin, Tierpfleger). Die anderen fragen ihn geschickt aus: »Gehe ich recht in der Annahme, dass du viel an der frischen Luft arbeitest?« Der Befragte darf nur mit ›ja‹ oder ›nein‹ antworten.
- Man kann das Konzept auch ändern in ›Wer bin ich‹: Hierbei denkt man sich eine Person aus (z. B. Oma, Nichte, Freund oder Prominente) und die anderen fragen: »Ist diese Person blond (berühmt, alt, jung)?«

Wenn der Befragte zehnmal ›nein‹ geantwortet hat, ohne das die Lösung erraten wurde, hat er gewonnen.

Ein neues Hörspiel

Ein Sprung von den Fernsehvorbildern ins Radio: Haben Sie schon mal ein Hörspiel nachgesprochen? Meine Kinder hören sich ihre Kassetten manchmal mehrere Male hintereinander an. Wenn ich währenddessen in der Küche aufräume, höre ich zwangläufig jedes Wort mit. Da merke ich dann oft, dass ich bestimmte Antworten von Bibi und Co. sogar schon mitsprechen könnte. Die Kinder müssten ja eigentlich eine Menge Hörspiele aus dem ›effeff‹ beherrschen. Das kann man auf einer Autofahrt dann mal testen (z. B. wenn einem der Kassettenrekorder kaputt geht und man noch 8 Stunden vor sich hat. Ich spreche aus Erfahrung!!!).

Die ›Kassette‹ wird ausgewählt, die Rollen verteilt. Vergessen Sie nicht, den Rekorder einzuknipsen! Ein guter Knopf ist z. B. die Nase. Das Titellied kann gemeinsam gesungen werden und dann geht es los. Wer nicht weiß, wie es weitergeht, denkt sich einfach etwas aus.

Oder wie wäre es mit einer selbst erfundenen Folge einer berühmten Hörspielreihe? Oder mehrere Reihen verbinden? Hier ein Ausschnitt aus unserem Programmangebot:

- ›Benjamin Blümchen im Stau‹,
- ›Bibi Blocksberg trifft Hanna Hasenhügel‹,
- ›Pumuckl verliebt sich‹,
- ›Fünf Freunde treffen die drei ???‹.

Alles ist möglich!!!

Wo fahren die wohl hin?

Das fragen wir uns oft auf unseren Urlaubsreisen, besonders wenn wir im Stau auf der Autobahn stehen. Wir sehen zu den anderen Autos rüber und denken uns Namen aus für die Insassen. Dann überlegen wir, wo sie herkommen, wo sie hinfahren und was sie dort machen. Und manchmal kommen so die wildesten Geschichten zustande.

Märchen mit Fehlern

Dem Motto ›Alles ist möglich!‹ folgt auch unsere Märchenstunde.
Jeder kennt zahlreiche Volksmärchen in- und auswendig. Warum sollte
man sie nicht mal mit Fehlern erzählen, das fördert die Aufmerksamkeit. Jakob soll ›möök‹ machen und Paulina ›piiiieep‹, wenn sie einen
Fehler bemerken. Papas Fehlerhupe lautet ›schrillll‹. (Ich weiß, er
muss sich aufs Autofahren konzentrieren. Aber wir sind auf der Autobahn und er hört auch nur mit halbem Ohr zu.) Also, los geht es:

»Es war einmal eine Königin, die wünschte sich so sehr einen
Hund [möök], und eines Tages ging ihr Wunsch in Erfüllung.
Das Haar war so schwarz wie verbrannter Pudding (piiiieep),
die Lippen so rot wie Ketchup [möök] und ihre Haut so weiß
wie Klee (piiiieep). Darum wurde die Prinzessin von allen
Dornröschen (piiiieep) genannt ...«
(›Schrillll‹ musste sich zu sehr aufs Autofahren konzentrieren.)

Es war einmal ...

Ein lustiger Zeitvertreib ist es auch, gemeinsam ein neues Märchen zu erfinden. Jeder muss der Reihe nach den bereits vorhandenen Satz wiederholen und ein weiteres Wort hinzufügen.

»Es war einmal ein ...«
»Es war einmal ein Reh ...«
»Es war einmal ein Reh, das ...«
»Es war einmal ein Reh, das hatte ...«
»Es war einmal ein Reh, das hatte ein ...«
»Es war einmal ein Reh, das hatte ein kleines ...«
»Es war einmal ein Reh, das hatte ein kleines Problem ...«
»Es war einmal ein Reh, das hatte ein kleines Problem und ...«
»Es war einmal ein Reh, das hatte ein kleines Problem und das ...«
»Es war einmal ein Reh, das hatte ein kleines Problem und das war ...«
»Es war einmal ein Reh, das hatte ein kleines Problem und das war schade.«

Stift, Papier und kleine Tiere

Schade ist auch, dass es auf dieser Welt Restaurants gibt, die es sich zur Aufgabe gemacht haben, Kinder besonders lange auf ihr Essen warten zu lassen. Allerdings gibt es auch Restaurants, die haben kapiert, wie einfach es ist, mit ein paar Stiften und ein wenig Papier die Kinder auf ihren Stühlen zu halten. Da letztere in Deutschland noch nicht sehr verbreitet sind, haben wir immer unseren eigenen kleinen ›Restaurantrucksack‹ im Auto.

Ganz wichtig sind darin zwei kleine Schachteln. In einer sind winzige Gummitiere, in der anderen ganz kleine Autos, gesammelt aus den Überraschungseiern. Wenn man jetzt mit Stiften auf ein Blatt Papier kleine Straßen malt und auf ein anderes Blatt eine Wohnung mit Zimmern und Eingang, können die Tiere dort wunderbar wohnen und die Autos hin und her kurven.

Was man sonst noch mit Stift und Papier machen kann:

Einen großen – durchsichtigen – Koffer zeichnen, den die Kinder abwechselnd packen dürfen. Das Thema wird vorgegeben. Wir packen unseren Koffer für eine Fahrt: ans Meer, zu den Großeltern, ins Gebirge, zum Mond, in die Wüste, zum Nordpool usw.
Dabei müssen die Kinder natürlich Gegenstände in den Koffer malen, die etwas mit dem Thema zu tun haben.

Das Ähnlichkeitsspiel

In unserem letzten Urlaub begegneten wir einer Doppelgängerin unserer Nachbarin Emma, und der Andreas von der Tante saß am Nebentisch. Den Bene gab es am Strand gleich zweimal, und einmal stand der Arzt vom Traumschiff neben uns.
Die Kinder haben dieses Spiel angefangen, und es hat sich durch den gesamten Urlaub gezogen. Leute unauffällig beobachten und Ähnlichkeiten feststellen, kann zur Manie werden. Bei diesem Spiel waren die Kinder viel besser als wir, denn sie beschränkten sich auf das Wesentliche: Blond, schlank, groß, hellhäutig, das muss unsere Nachbarin sein. Mit der Zeit hatte so jeder seinen Namen und wir wunderten uns schließlich, warum unsere Nachbarin plötzlich mit dem Vater vom Sams verheiratet war und das Kind aus Paulinas Ballettunterricht dabei hatte. Verstrickungen ohne Ende!!!!

Draußen im Hof

Kaiser, wie viel Schritte darf ich gehen?

Bei uns im Hof sind immer viele Kinder in den verschiedensten Größen vertreten. Normalerweise beschäftigen sie sich alle allein. Aber es gibt Nachmittage, an denen nur Rumhängen angesagt ist und kein Spiel so richtig in Gang kommen will. Da darf man als Mutter dann schon mal eine Anregung geben. Außerdem finde ich es wichtig, die alten Spiele weiterzugeben.

Kennen Sie noch ›Kaiser, wie viel Schritte darf ich gehen?‹? Ein Kind, der Kaiser, steht auf der einen Seite des Hofs, die anderen auf der gegenüberliegenden und fragen der Reihe nach: »Kaiser, wie viel Schritte darf ich gehen?« Der Kaiser sagt z. B.: »Vier Spagatschritte.« (Oder zwei Hasenhoppler oder drei Drehschritte oder zwei Schritte rückwärts.) Dann muss der andere erst noch fragen: »Darf ich?«, sonst muss er stehen bleiben. Wer als Erster beim Kaiser ist, darf beim nächsten Durchgang Kaiser sein.

Murmeln, Kreide und Schminke

Ich möchte nicht, dass Sie mich falsch verstehen. Es ist wichtig, die Kinder alleine Spiele erfinden und sie dabei in Ruhe zu lassen. Aber hin und wieder eine Anregung zu geben, sich dann wieder zurückzuziehen und zuzusehen, was passiert, ist erlaubt. Oft lasse ich die Dinge, die ich dabei habe, aber auch in der Tasche. Denn wenn sich ein Spiel von alleine ergibt, wäre es nur störend, sich einzumischen.

Die Aufgabe der Umgebung ist nicht, das Kind zu formen, sondern ihm zu erlauben, sich zu offenbaren.

So habe ich gelegentlich ein Säckchen Murmeln, einen Eimer Kreide oder einen Schminkkasten in der Tasche. Mit der Kreide kann man mehrere Kreise auf den Boden malen, von denen jeder eine bestimmte Punktzahl hat. Nun kann gemurmelt und ›geschustert‹ werden. Für die ganz Kleinen und ihre Bobbycars male ich manchmal mit Kreide Straßen auf, samt Ampeln, Verkehrszeichen, Zebrastreifen, Parkplätzen und einer Polizeistation. Diese Verkehrswege werden oft noch Tage lang benutzt – auch von Größeren mit ihren Rollern und Inlinern.

Ein anderer Vorschlag wäre, einmal eine ›Ausstellung der Straßenmalerei‹ zu veranstalten. Dafür zeichne ich viele Rahmen mit Kreide, in die die Kinder ihre Kunstwerke malen. Dann gibt man jedem Bild einen Titel, schreibt ihn darunter und die Ausstellung kann beginnen. Wenn ich die Kinderschminke auspacke, ergibt sich daraus für die Kinder oft ein intensives Spiel. Ich schminke z. B. Elfen oder Zootiere und schon steht der ganze Nachmittag unter einem Motto.

Der Zirkus kommt!

Auch ›Zirkus‹ ist ein Thema, das einen ganzen Tag bestimmen kann. Eines Tages hatten meine Kinder nämlich die Idee, mit allen anderen im Hof eine Zirkusvorführung einzustudieren. Also nahm ich einen Korb voll Utensilien mit raus: Schminke, Seile, Tücher, Umhänge, Bälle, Reifen usw. Begeistert machten sich die Kinder ans Üben. Viele gingen sogar noch mal nach Hause um Jonglierbälle, Zauberdinge o. Ä. zu holen. Und tatsächlich wurde den Eltern an diesem Sommerabend eine exklusive Zirkusvorstellung geboten.

Einen Club gründen

Andere Ideen dienen nicht nur als Motto für einen ganzen Tag, sondern können wochen-, monate- oder sogar jahrelang aktuell bleiben. Wenn man z.B. einen Club gründet, kann das zu einer größeren Aktion werden.

Was braucht man?
- Einen Clubnamen (›Die roten Elefanten‹, ›Der Club der weißen Möwe‹, ›Die schlauen Füchse‹, ›Die Weltverbesserer‹, ›Gruselclub‹ o. Ä.)
- Ein Blatt Pergament, auf dem die Regeln festgeschrieben werden. Es wird mit einem Siegel beglaubigt, und alle Clubmitglieder müssen darauf unterschreiben.
- Ein Abzeichen. (Anstecker kann man mit Pappe und Sicherheitsnadel ganz einfach selber machen.)
- Einen Sinn, ein Ziel. (Was machen wir, warum

Popcorn

Nicht vergessen, Popcorn ist nach wie vor das Billigste und Gesündeste, wenn es ums Knabbern geht! Es ist auch schnell gemacht: einfach getrocknete Maiskörner in einem geschlossenen Topf mit Butter oder Öl erhitzen. Dann basteln Sie mit den Kindern Dreieckstütchen, befestigen Schnüre an einem Tablett, damit man es umhängen kann, und schon ist der Popcornbauchladen fertig – das Tütchen 20 Cent. Oder die Kinder eröffnen einen kleinen Popcornstand im Hof: die Marktlücke!

gibt es uns, was wollen wir erreichen?)

Für den letzten Punkt gibt es natürlich viele Möglichkeiten. Mein ›Club der roten Elefanten‹ wollte damals Geld verdienen, um es dem Tierheim zu spenden. Wir führten Hunde aus, machten Gartenarbeit, übten ein Theaterstück ein und baten bei der Aufführung um Spenden. Als wir unsere 150 DM dem Tierheim überreichten, war das ein großer Moment für uns fünf, und wir waren wahnsinnig stolz.

Olympische Spiele

Wenn man eine Olympiade veranstalten möchte braucht man viele Kinder und am besten noch eine Stoppuhr, ein Metermaß sowie eine Trillerpfeife.

Ein paar Vorschläge für zugelassene Disziplinen:
- Wer kann am längsten auf einem Bein stehen?
- Wer kann am höchsten springen?
- Wer kann am längsten die Luft anhalten?
- Wer kann am weitesten spucken?
- Wer kann sich am längsten drehen ohne umzufallen?

Unterwegs – in der Stadt, auf dem Land, am Fluss

Das Trollhaus

Oft löst der berühmte Sonntagmorgensatz »Heute machen wir einen Spaziergang« bei den Kindern nicht gerade Begeisterungsstürme aus. Und wenn ich ehrlich bin, ist einfach so ›vor sich hingehen‹ auch nicht mein Hobby. Ganz anders, wenn dahinter eine Aktion steht, z. B. »Wir suchen im Wald eine gute Stelle, um ein Trollhaus zu bauen.« Unser Trollhaus sollte nur aus mit langen Gräsern zusammengebundenen Ästen bestehen und ein Dach aus großen Farnblättern oder dichtem Gestrüpp erhalten. Der erste Versuch schlug fehl, da wir das Gerüst zu wackelig gebaut hatten. Gerade als wir das letzte Bündel Gras aufs Dach legten und bewundernd zurücktraten, fiel das Häuschen im Zeitlupentempo in sich zusammen. Unser nächstes Bauwerk steht allerdings immer noch – nach einem Jahr – und ein kleiner Efeu rankt langsam an ihm empor. Die Kinder spielen Trolle und Waldelfen darin. Sie denken sich ›waldische‹ Namen aus und sind als Schützer der Natur unterwegs.

Ein Nachtausflug

Freitagabend. Dämmerung. Die Taschenlampe liegt schon bereit. Und los geht es in die Nacht, mit der ganzen Familie. Am besten natürlich irgendwohin, wo es nicht so viele Lampen gibt. Vielleicht in einen Park? Und den kleinen Nachtimbiss nicht vergessen.

Als Architekt bei den Eskimos

Auch der Bau eines Iglus ist ein richtiges Happening. Erst einmal braucht man dazu eine Masse Kinder oder Erwachsener, eine große Hilfe wäre dann noch eine Menge Schnee und einige Kisten (alte Postkisten sind perfekt). In die presst man den Schnee so hinein, dass er als Schneeblock wieder herauskommt – wenn man Glück hat. Diese ›Schneesteine‹ werden nun aufeinander geschichtet, wobei man die Fugen gut verputzen muss. Dann ist das Iglu bald fertig. Das Richtfest muss natürlich gebührend gefeiert werden, am besten mit einer Kanne heißen Tee.

Wenn der Schnee richtig schön klebt und sich wie eine Knetmasse modellieren lässt, ist er auch perfekt geeignet für alle möglichen Tierskulpturen: Hunde, Hasen, sitzende Bären, liegende Pferde, Krokodile, Schildkröten o. Ä.

Die Schritte-Olympiade

Wenn uns bei Wanderungen oder Spaziergängen der Weg zu lang wird, setzen wir schon mal Trick 21 ein, die Schritte-Olympiade. Jeder darf abwechselnd ›Gehvorschriften‹ erfinden, die jeweils 20 Schritte lang durchgehalten werden müssen.

Hier ein paar Beispiele:
- Hühnerdapperl (Wahrscheinlich nennt man die nur in Bayern so, gemeint sind winzig kleine Schritte, bei denen ein Fuß direkt vor den anderen gesetzt wird.)
- Seitgalopp
- Einwärtsgang (Die Füße werden nach innen gedreht.)
- Charly-Chaplin-Gang
- Rückwärtsgang
- Humpelschritt
- Hasenhopser
- Fersengang
- Zickzackschritt
- mit falschen Armbewegungen (rechter Fuß und rechter Arm gehen vor)
- Drehschritt
- Sprungschritt
- Spagatschritt
- mit geschlossenen Augen
- Stechschritt (wie bei den Soldaten)

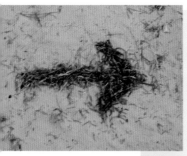

Wegweiser bauen

Damit wir auch sicher den Weg durch den Wald wieder zurück zum Auto finden, legen und bauen wir uns manchmal Wegweiser. Aus Stöcken und Steinen werden Pfeile gemacht oder man steckt Äste so ins Moos, dass sie in eine bestimmte Richtung zeigen. Auf diese Weise sind wir beim Hinweg mit Wegweiserbauen beschäftigt, beim Rückweg damit, diese wieder zu finden.

Oder was halten Sie von einer kleinen, spontanen Schnitzeljagd. Die macht doppelt Spaß, wenn man mit mehreren Familien unterwegs ist. Als ›Schnitzel‹ können z. B. Hobelspäne, Hasenstreu oder eben auch Zeichen aus herumliegenden Materialien dienen. Auch Kreidepfeile auf Steinen schaden der Umwelt nicht.

Sachensucher

Auch ein ganz spezieller ›Sachensucherauftrag‹ ist ein guter Ansporn für einen Spaziergang. Was soll gesammelt werden?

Vielleicht mal verschiedene Blumen und Blätter, die man später zu Hause presst, um mit ihnen ein Blumenbestimmungsbuch zu kleben.

Oder schöne Materialien für ein Naturmobile: z. B. kleine Wurzeln, Stöcke (Stöcke, die an Flüssen oder Seen liegen, sind besonders schön), Treibgut, Herzsteine.

Trimm-dich-Pfad selbst gemacht

Wie wäre es mit einem Waldspaziergang, bei dem man einen eigenen Trimm-dich-Pfad erfindet? Man legt zum Beispiel Stöcke auf den Weg, über die man mit geschlossenen Beinen springen muss. Oder man macht Liegestützen auf einem umgefallenen Baum. Alle 30 Schritte einigt man sich so auf ein Fitnessprogramm. Kniebeugen und Stretchübungen kann man auch ohne Hilfsmittel durchführen.

Der Künstlerblick

Einen ganz anderen Blick für die Natur bekommt man, wenn man – wie ein richtiger Künstler – einen schönen Skizzenblock und dazu einen frisch gespitzten Bleistift mit Radiergummi dabei hat. (Übrigens auch eine tolle Geschenkidee!)
Dann geht es los: Versucht einmal, einen Baum abzuzeichnen, so wie er wirklich aussieht. In Wurzeln und Rinden sind oft Trollgesichter zu erkennen. Man muss nur ganz genau hinsehen. Oder macht euch auf in den Tierpark, Tiere abmalen. Am meisten Spaß macht das natürlich, wenn die Erwachsenen auch ihren Block dabei haben. Viele haben das Zeichnen nämlich schon verlernt. Ein »das kann ich nicht« gibt es nicht. Hinschauen, merken, malen! Lachen ist erlaubt – zumindest bei seinen eigenen Zeichnungen.

Die Flaschenpost

Ein Ausflug an einen Fluss kann man noch verlockender machen, indem man vorher zu Hause eine Flaschenpost bastelt. Eine kleine Nachricht gehört hinein, in der man etwas über sich erzählt, Hobbys etc. Ganz wichtig ist dabei der Absender, denn sonst erfährt man ja nie, ob seine Post gefunden wurde. Ich schlage außerdem vor, die Flaschen zu verzieren oder kleine Fähnchen daran zu befestigen, um zu zeigen, dass es sich nicht um Müll, sondern um Post handelt. Ich weiß, dieser Vorschlag ist nicht sehr umweltfreundlich. Wo kommen wir hin, wenn mein Buch vielleicht mehrere Hundert Eltern lesen und diese Idee in die Tat umsetzen? Die Flüsse sind voll Flaschen und ich bin schuld. Aber ich gehe einfach davon aus, dass alle Flaschenposts (das kann doch unmöglich die Mehrzahl von Flaschenpost sein. Aber Flaschenpöste oder -pöster oder -posten hört sich genauso blöd an. Und wenn wir schon dabei sind, müsste es nicht überhaupt Flaschepost heißen? Schließlich werfe ich ja nur eine Flasche in das Meer und nicht gleich mehrere. Und somit kommen wir wieder zu meinem Lieblingsthema: Worte zerpflücken. Denn müsste es nicht eigentlich Äpfelbaum heißen? Denn es befinden sich ja auf jedem dieser Bäume unbestritten mehrere Äpfel. Und schließlich heißt es ja auch Pflaumenbaum und Zwetschgenbaum und nicht Pflaumebaum. Oder was ist mit dem Birnebaum und dem Kirschebaum? Womit ich zum Haarband komme das doch eigentlich Haareband heißen müsste, die Handschuhe Händeschuhe und jetzt ziehe ich den Schlussstrich, denn das geht ent-

Die kleinen Dinge sind die allerwichtigsten.
Sherlock Holmes

schieden zu weit), ich gehe also davon aus, dass alle Flaschen, die mit Post gefüllt sind und auf den Flüssen schwimmen von anderen lustigen Menschen gefunden, herausgefischt und beantwortet werden.

Steine sammeln

Oft findet man gerade an Flüssen besonders schöne Steine. Bei uns an der Isar liegen Steine, die aussehen wie Herzen oder Marienkäfer, wie Bären oder Raupen. Schon beim Sammeln kann man sich überlegen, wie man sie anmalen könnte. Plakafarbe oder Acrylfarbe ist zwar teuer, aber leuchtet auf den Steinen viel mehr als zum Beispiel Wasserfarbe. Allerdings sollte man dafür unbedingt Malerkittel anziehen, denn diese Farben gehen sehr schlecht bis gar nicht mehr aus der Kleidung heraus.

Als Motive sind auch chinesische Schriftzeichen schön, die Glück, Liebe o. Ä. bedeuten. Die fertigen Kunstwerke kann man dann als Briefbeschwerer verschenken oder an einem kleinen Steinestand auf der Straße verkaufen.

Eine Stadtrundfahrt

Haben Sie schon mal eine Stadtrundfahrt in der eigenen Stadt gemacht? Nein? Dann wird es aber höchste Zeit. Denn oft kennt man die Sehenswürdigkeiten in anderen Städten besser, als die in der eigenen Stadt. Sie werden staunen, was es in der Heimatstadt alles zu entdecken gibt. Wenn die Kinder schon schreiben können, würde es sich anbieten, Notizen zu machen und danach ein kleines Quiz zu veranstalten.

Oder wie wäre es mal mit einer Radtour durch die ganze Stadt an einem Sonntag?

Um den Orientierungssinn zu trainieren, kann man auch einmal mit (Grundschul-)Kindern in die Stadt gehen (oder fahren) und sich von ihnen wieder nach Hause bringen lassen. Man selbst bleibt dabei stumm (es sei denn, es geht genau in die falsche Richtung).

Barfuß im Regen

Eine meiner schönsten Kindheitserinnerungen: Als meine Mutter bei einem warmen Sommerregen einfach ihre Schuhe auszog und mit uns barfuß durch den Regen rannte. Nass waren wir sowieso schon.

Achten Sie mal darauf, bei Regen ziehen alle Leute die Schultern hoch und die Köpfe ein. Außerdem sind bei den meisten Falten auf der Stirn zu sehen. Sie meinen wohl, dass sie dadurch weniger nass werden. Aber das ist ein Irrtum. Man wird immer gleich nass, egal was für ein Gesicht man aufsetzt. Gehen Sie doch mal durch den Regen, als wäre es ein Sonnentag.

Und beobachten Sie ihre Haltung.

Dinge mal anders sehen. Das ist meine Devise.

Kleine Highlights für Zwischendurch

❥ Mit dem Auto durch die Waschanlage fahren.
❥ Am Flughafen stehen und Flugzeuge beobachten.
❥ Zum Bahnhof fahren und Züge ansehen.
❥ Der Arbeit an einer riesigen Baustelle zuschauen (für ca. 2-jährige Jungs das Größte).

Alles Pappe
oder was?

Unsere Familienbibliothek

»Ich frage mich ...« – ein selbst gemachtes Lexikon

Ein ganz normaler Tag und Jakob (6 Jahre) fing an mit den ›Ich-frage-mich-Sätzen‹:

»Ich frage mich, wie es geht, dass man eine Telefonnummer wählt und dann wirklich da rauskommt, wo man will, und nicht bei jemand anderem.« Da kam ich jetzt wirklich ins Straucheln und so ganz befriedigend war meine Antwort wohl nicht. Also schlugen wir in allen möglichen Büchern nach und schrieben all das auf, was ein 6-Jähri-

ger schon begreifen konnte und was einigermaßen logisch klang. Im Lexikon gab es zum Thema ›Telefon‹ sechseinhalb Seiten, die nicht mal ich verstand und die sehr langweilig waren. Also suchten wir in Zeitschriften Bilder von Telefonen, Kabeln, telefonierenden Menschen usw. Und Papa (der kennt sich mit technischen Fragen einfach besser aus) erklärte am Abend, was die Worte im Lexikon bedeuten (das war auch für Mama sehr interessant). Außerdem fanden wir heraus, dass schon Jakob nicht mehr weiß, wie man mit einer Wählscheibe umgehen muss. Ich fühlte mich ganz schön alt, als ich mich sagen hörte: »Weißt du Jakob, früher benutzten die Menschen Wählscheiben, um zu telefonieren.« So entstand unser Lexikon. Die ›Ich-frage-mich-Sätze‹ kommen immer wieder auf, und es macht Spaß, den Dingen nachzugehen und somit auch sein eigenes Wissen zu erweitern.

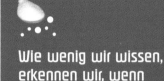

Wie wenig wir wissen, erkennen wir, wenn unsere Kinder anfangen zu fragen.

Amerikanisches Sprichwort

Familienjahrbücher

Aber man kann nicht nur Wissen in Buchform sammeln – sondern eigentlich fast alles. Ich habe nämlich zwei Sammlerkinder, die sich von nichts trennen können: Eintrittskarten vom ersten Besuch im Kindertheater, eine Autogrammkarte, Postkarten vom Brieffreund, Briefmarken, ein schönes Bonbonpapier. Und dann die ganzen einzelnen Fotos, bei denen man nicht weiß, wohin damit: zwei Fotos vom Geburtstag bei einer Freundin, ein Bild (selbst geknipst von Paulina) von den Katzen der Nachbarin, ein Foto der Familie, die man im Urlaub kennen gelernt hat ... Da kam mir die Idee, an einem verregneten Tag mit meinen Kindern ein Erinnerungsbuch zu gestalten. Und das steht jetzt in unserer kleinen Bibliothek.

Daraus entstand dann bei uns die Tradition der Familienjahrbücher. Denn auch als Erwachsener würde man doch gern viel öfter Dinge festhalten, in Form eines Tagebuchs oder Fotoalbums. Leider haben

die meisten Mütter oder Väter einfach keine Zeit dazu. Aber wie schnell vergisst man, was wann war? Erste Zähne, Windpocken, etc. In die Jahrbücher kann man alle Erinnerungen hineinschreiben oder -kleben. Auch Zeitungsausschnitte. Was war wichtig in diesem Jahr? Wenn man es schafft, jedes Jahr ein Jahrbuch zu gestalten, hat man nach einiger Zeit eine richtige kleine Familienchronik.
 Eine Hilfe hierzu ist z. B., Dinge wie Eintrittskarten, einzelne Fotos, besonders schöne Post- oder Weihnachtskarten sowie Geburts-, Hochzeits- und auch Todesanzeigen in einer Ablage zu sammeln und bei Gelegenheit einzukleben. Auch lustige Aussprüche der Kinder sollte man hineinschreiben. Die Mühe lohnt sich mit Sicherheit.

Das Geschichtenbuch

Im Laufe der Zeit wuchs so unsere kleine Familienbibliothek. Neben dem Lexikon stehen unsere Erinnerungsjahrbücher und nicht zu vergessen – ganz wichtig – unser eigenes Geschichtenbuch.
Man braucht dazu ein wunderschönes Heft oder Buch oder einen Ordner, den man fantasievoll beklebt, und viele selbst ausgedachte Geschichten der ganzen Familie. Auch schön ist es, sich mal zum Geburtstag kleine Geschichten zu wünschen, die man dann ins große Geschichtenbuch einheften oder -kleben kann. Bei uns fing das Ganze auf der Heimreise unseres Toskanaurlaubs an. Denn – oh Schreck! – der Kassettenrekorder unseres Autos ging kaputt. Acht Stunden ohne Benjamin Blümchens Hilfe lagen vor uns. Also fing ich an, Geschichten zu erfinden: »Um was soll es gehen? « »Eine Katze!« »O.k. Es war einmal eine kleine Katze, die hatte nur einen Wunsch, so laut brüllen zu können wie ein Löwe. Also übte sie jeden Tag ...« An Stellen, an denen ich nicht weiter wusste, sprangen meine Kinder mit guten Ideen ein.

Und als ich einen leeren Kopf und fast keine Stimme mehr hatte, bat ich meine Kinder jetzt mal für mich Geschichten zu erfinden. Jakob (5 Jahre) begann: »Es war einmal ein Hund. Der war nicht so weiß, wie alle anderen, und auch nicht so braun, wie alle anderen. Der war bunt und hatte deshalb keine Freunde. Also ›gang‹ er los, welche zu suchen. Da traf er einen Esel: ›Willst du mein Freund sein?‹, und der Esel sagte: ›Ja!‹ ...« Die Geschichte ›gang‹ noch eine halbe Stunde so weiter, bis der Hund 45 Freunde hatte und alle feierten zusammen.

Und dann kam Paulina (3 Jahre) an die Reihe: »Jetzt kommt meine Geschichte. Es war einmal ein Pferd. Das war nicht so weiß, wie alle anderen, und auch nicht so schwarz, wie alle andern. Es war bunt. Und deshalb hatte es keine Freunde. Also ›gang‹ es los, welche zu suchen ...« Jakob: »Das ist ja meine Geschichte!« Paulina: »Nein, bei dir ›gang‹ es um einen Hund. Bei mir um ein Pferd. Das ist eine ganz andere Geschichte.« Aber auch die dauerte ca. eine halbe Stunde.

Als wir zu Hause waren, schrieben wir die Geschichten in unser Buch und die Kinder malten Bilder dazu. Jedes Mal wenn jetzt ein Kind eine Idee für eine Geschichte hat, wächst unser Buch. Und als ich ihnen ihre ersten Geschichten nach einem Jahr noch einmal vorlas, mussten sie schon darüber lachen, wie sie sich ausgedrückt hatten, als sie kleiner waren.

Mein Krickelkrakel-Buch

Das Krickelkrakel-Buch war eine tolle Erfindung meiner Tante, die
Grafikerin war. Sie schenkte uns ein dickes Skizzenbuch, in das wir
alles malen durften, was uns wichtig war.
Wir ordneten unsere Zeichnungen nach Themen oder Überschriften
wie z. B.:

- Was ich mag
- Was ich nicht mag
- Alle Instrumente
- Tiere im Dschungel
- Was ein Indianer braucht
- Was ein Ritter braucht
- Was ich werden will
- Fahrzeuge
- Hunderassen
- Sportarten

Themenalben

Anstatt nur zu malen, kann man natürlich zu einem bestimmten
Thema auch alles Mögliche sammeln und ein Album daraus machen.
Jakob liebt z. B. Hunde, deshalb basteln wir für ihn ein einzigartiges
Hundebuch. Titelideen: ›Mein Hundelexikon‹, ›Wuffi und Co.‹, ›Alles
über Hunde‹ oder ›Wau wau bell‹.

Jakob blättert sämtliche Zeitschriften durch, schneidet jeden Schnipsel über Hunde aus und klebt sie ins Album. Wir suchen Postkarten mit Hunden und Fotos, auf denen Jakob mit Hunden zu sehen ist. Wir suchen im Lexikon alle Artikel, die uns Informationen über Hunde bieten. Wir besuchen die Dame unter uns im Haus, die einen Hund hat, fragen sie alles Mögliche und schreiben nun unser gesamtes Wissen ins Buch. Wir sammeln Hunderassen. Jakob malt so viele Hunde aus Büchern ab, wie er kann. Er schreibt auch seine eigenen Erlebnisse mit Hunden auf und alle Hunde, die er kennt. Manchmal darf er mit einer ›Wegwerfkamera‹ spazieren gehen und Hunde für sein Album fotografieren.

»Und morgen mach ich mir ein Album über Fußball!«

Den Themenvorschlägen sind keinerlei Grenzen gesetzt: Instrumente, Stars, Berufe, Trickfilmfiguren, Blumen (die kann man auch pressen und einkleben) etc.

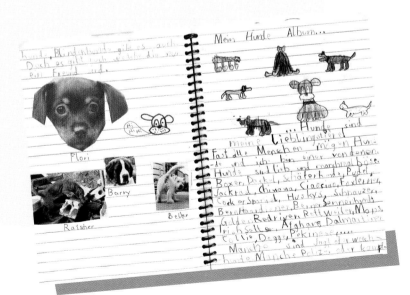

Kunst

Eine Ausstellung

Die meisten Kinder lieben malen ja sowieso. Doch manchmal spornt es zu noch mehr Ausdauer an, wenn dahinter ein Ziel steht. Wie wäre es zum Beispiel mit einer Ausstellung, vielleicht sogar mit einer kleinen Vernissage?

Ich erkläre meinen Kindern kurz, was eine Vernissage ist, und dass man da meistens ein kleines Buffet mit Knabbergebäck und Getränken hat, und schon sind sie mit Feuereifer dabei. Ich spanne eine Schnur quer durchs Zimmer und überlasse ihnen meine Wäscheklammern. Die Kinderzimmertür schließt sich und es wird gemalt und vorbereitet. Nach eineinhalb Stunden bekomme ich eine Einladung zur Eröffnung der Ausstellung und sogar eine persönliche Führung. Ich erfahre genau, was der Künstler mit diesem oder jenem Bild ausdrücken wollte, und auch warum eines verkehrt herum hängt. Ich darf mich am Buffet bedienen, es gibt Butterkekse mit Butter bestrichen, Zwieback-Kanapees und Käse am Salzstangenstiel. Die Oma und die Nachbarin werden auch noch spontan eingeladen. Verkauft wird allerdings kein Bild. Denn die Künstler können sich nicht von ihren Werken trennen. Am Abend staunt der Papa nicht schlecht über seine kleinen Meister und die ausgeruhte Mami.

Das Riesenbild

Großen Spaß macht es auch, einmal ein riesiges Gemeinschaftsbild
zu malen. Dazu braucht man entweder ein wirklich großes Blatt,
oder man klebt einfach mehrere zusammen.
Dann überlegt man sich eine Überschrift, z. B.:

- Unsere Stadt
- Im Dschungel
- Arche Noah
- Eine Olympiade
- Im Märchenwald

Jeder malt auf ein kleines Papier Figuren, Häuser, Bäume oder andere Dinge, die zu dem jeweiligen Thema passen. Nun schneidet man
alle gemalten Bilder aus und klebt sie auf das große Blatt. Schließlich kann man das in Gemeinschaftsarbeit entstandene Riesenposter
an die Wand hängen.

Meisterwerke

Oft weiß man ja gar nicht, wohin mit den Meisterwer-
ken, den Basteleien, die die Kinder stolz aus Schule
und Kindergarten mitbringen. Nun haben wir bei uns
eine Vitrine, in der die Modelle meines Mannes stehen.
(Nein, keine Frauen!!! Er ist Designer und die Modelle
sind aus Holz oder Blauschaum.) Einen Fachboden habe
ich darin jetzt frei geräumt für die Kunstwerke unserer
Kinder. Vielleicht findet sich ja auch in Ihrer Wohnung
ein guter Platz für eine kleine Vitrine oder in einem
Regal ein Fach, das nur für diese Bastelarbeiten vorge-
sehen ist.

Collagen

Collagen sind aus verschiedenen Materialien zusammenge-
klebte und gemalte Bilder. Dafür gibt es 1000 Möglichkeiten: Man kann z. B. Tier- oder Menschenköpfe sammeln,
aufkleben und einen Fantasiekörper dazumalen.

Reizvoll sind auch große Collagenbilder, die unter einem
Thema stehen, wie z. B. Fußball, Skilaufen, Olympiade
oder Tierpark. Eine andere Möglichkeit ist, sich ein Puppenhaus aufzumalen und es mit ausgeschnittenen Möbeln
einzurichten.

Oder wie wäre es mit einem Comictreffen, einer Arche
Noah oder einem Blumenbild?

Auf jeden Fall müssen erst einmal Zeitschriften durchsucht
und ausgeschnitten werden, was das Zeug hält. Je nach
Collage, die man sich vorgenommen hat, sammelt man
etwas anderes. Das ist sehr lustig, wenn mehrere Kinder gleichzeitig Material für verschiedene Themen suchen: »Hey, brauchst du noch einen Fußballer?« »Her
damit, dafür kriegst du das Schwein!« Was man nicht
ausschneiden kann, malt man einfach dazu.

Auch als Geschenke sind Collagen gut geeignet.

Noch mehr Bastelideen

Die Bastelkiste

Mit einer solchen Bastelkiste erleichtert man sich das Bastelvergnügen übrigens erheblich. Man braucht einfach eine größere Kiste, in die alles hineinkommt, was mit Basteln zu tun hat. So muss man immer nur diese eine Kiste herausholen und auch das Aufräumen können die Kinder besser übernehmen, da ja alles in die Kiste muss und man nicht jede Schere, jeden Kleber irgendwo anders hinbringen muss.

In meiner Bastelkiste sind u. a.:

❥ Klebebänder
❥ Kleber
❥ Scheren
❥ Teppichmesser
❥ abwaschbare Plastikunterlagen
❥ Wäscheklammern (zum Zusammenhalten)
❥ Buntpapier
❥ Pappe
❥ Toilettenpapierrollen
❥ Glitzerstifte
❥ Korken
❥ Wasserfarben

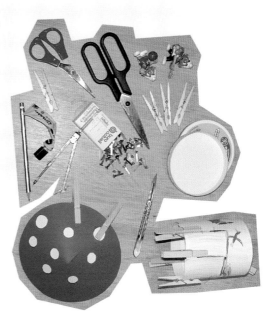

Murmelbahn und Barbieschloss

»Mami, ich will das Barbieschloss«, bekam ich neulich von meiner Tochter zu hören. Nun bin ich von diesem reizenden ›Rosaplastik-riesenteil‹(das wahrscheinlich ziemlich teuer ist und sowieso bald in der Ecke steht) nicht so wahnsinnig begeistert. Deshalb kommt jetzt erst mal die Gegenfrage: »Können wir das nicht selber machen?« Da wir schon gewieft sind in der Pappbaukunst und sich das Kinderzimmer immer mal wieder für einige Tage in eine Baustelle (man könnte es auch Chaos nennen) verwandelt, wird mein Plan begeistert angenommen.

So haben wir in den letzten Jahren eine Parkgarage aus einer Pampersschachtel gebaut (kein Spielzeug ist je so oft bespielt worden, als Jakob zwei Jahre war), eine Murmelbahn aus Toilettenpapierrollen (vom Hochbett runter durchs ganze Zimmer), ein Auto, in dem bequem zwei Kinder plus Begleitplüschtieren Platz hatten, einen Kaufmannsladen aus einer Umzugskiste, ein Haus aus einem Fernseherkarton, ein Puppenhaus für Oskar und Mücke, diverse Ritterburgen und einiges andere.

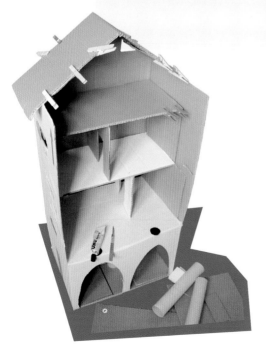

Das Wichtigste dabei: Pappe horten, wo es nur geht! Was man sonst noch braucht:

- Klebeband
- Kleber bzw. Leim
- Tacker
- Farbe (Plaka-, Abtön- oder Wandfarben)
- Pinsel
- evtl. zur Anregung Bilder von Objekten, die man bauen will, oder einen selbst gezeichneten Plan

Wo kriege ich Pappe her?

Fahrradgeschäfte, Möbelhäuser und Elektrikronikgeschäfte werfen oft große Pappkartons weg. Kleinere gibt es in Supermärkten. Schöne Kartons bekommt man auch in Schuhgeschäften. Am besten sagt man dort mal Bescheid, sie sollten bitte alle Kartons aufheben, man käme sie nach einigen Stunden abholen. Sonst zerreißen sie die Schuhkartons nämlich immer gleich.

Wenn man bestimmte Größen oder Formen braucht, kann man im Branchenbuch unter ›Kartonagen‹ oder ›Umzugskartons‹ nachschlagen. Die sind gar nicht so teuer, ein Umzugskarton kostet rund 2,50 Euro. Außerdem sollte man auch kleine Arzneimittelschachteln o. Ä. aufheben, denn je mehr Material zur Verfügung steht, desto leichter fällt das Basteln.

Einmal nach Schlumpfhausen bitte!

Ein anderer Herzenswunsch meiner Kinder war ein Schlumpfhaus. Und manchmal will man sich ja auch selbst einen ehemaligen Kindheitstraum verwirklichen. Bis ich im Laden davor stand und die Preise las. Dann fiel mir ein, dass meine Kinder mindestens 20 Schlümpfe besitzen, bräuchte man da nicht für jeden ein Haus??? Ansonsten würden doch die Schlumpfmieten ins Unermessliche steigen und Neid und Ärger unter den Schlümpfen auslösen???

Etwas frustriert ging ich nach Hause – ohne Schlumpfhaus in der Tasche. Da erinnerte ich mich an diesen Nachmittag in meiner Kindheit, als meine Mutter mit uns Schlumpfhäuser bastelte (ich schätze, sie stand damals vor demselben Problem). Welchen Spaß hatten wir dabei! Also kaufte ich etwas festere weiße und rote Pappe, holte die Bastelkiste hervor, richtete den Basteltisch her und los ging es. Drei Stunden lang werkelten wir. Jede Schlumpffamilie bekam ihr individuelles Haus und am Schluss stand vor uns eine kleine Schlumpfstadt mit zehn Häusern und einem Bürgermeisterturm.

Spieleerfindertage

Auch beim Spieleerfinden kann man die Bastelkiste gut gebrauchen. Eines Tages kam meine 5-jährige Tochter ganz stolz aus dem Kinderzimmer. Sie hatte sich alleine ein Brettspiel ausgedacht. Es war sehr schief und sehr schlicht, trotzdem machte es riesigen Spaß und wir erklärten diesen Tag zum ›Spieleerfindertag‹. Jeder malte und bastelte vor sich hin, entwarf eigene Spielbretter und suchte in der Gummitierkiste nach geeigneten Spielfiguren. Und am Abend wurde ein Spiel nach dem anderen Probe gespielt. Der ›Spieleerfinder‹ war gleichzeitig immer der ›Regelbestimmer ohne Widerrede‹.
Kleiner Tipp: Auch die Figuren aus den Überraschungseiern eignen sich gut als Spielfiguren.

So entstand z. B. auch unser ›Bärnopoly‹. Nach den Regeln des bekannten Monopoly haben wir die Straßennamen und Ereignisfelder etc. ein wenig geändert. Die Silbe ›ber‹ wurde in sämtlichen Worten zu ›bär‹. Da heißen die Straßen: Saubärplatz, Bärmudaplatz, Lebärwurststraße, Am Bärgwerk, Angebärallee usw. (Ich gebe zu, ich

bin vorbelastet, brachten wir doch mal unter dem Label ›Art of Bear‹
T-Shirts, Socken etc. mit eben diesen Wortspielen heraus.) Logischer-
weise kauft man dann bei ›Bärnopoly‹ keine Häuser und Hotels, sondern Bienenstöcke und Baumstümpfe.

Dann gibt es noch unser ›Bär, ärgere dich nicht!‹, dabei sind lediglich
die Spielfiguren selbst geformte Bärenfamilien in verschiedenen Farben.
Sie sehen, man muss nicht wirklich ein großer Spieleerfinder sein.
Man kann ganz einfach bestehende Spiele umgestalten.

Memory eignet sich dafür auch sehr gut. Mit Fotos der Familie, gezeichneten gleichen Paaren, Pärchen aus Zeitschriften (Siegfried und
Roy, Donald und Daisy, Marianne und Michael) etc.

Oder ein Klangmemory: Man muss Filmdosen oder kleine gleiche
Kästchen sammeln und immer zwei mit denselben Dingen füllen
(Reis, Korken, Haferflocken, Kieselsteine, kleine Glöckchen, Zucker
etc.). Auf der Unterseite werden die Dosen mit denselben Farbpunk-
ten markiert. Dann geht es los mit dem Schütteln und Raten.

Bei den erfundenen Spielen meiner Kinder ging es hauptsächlich
darum, auf bestimmten Feldern bestimmte Aufgaben zu erfüllen:
›Rücke drei Felder vor!‹ oder ›Setze einmal aus!‹. Beim Legospiel
musste jeder versuchen, mit seinen Legosteinen Steine der anderen
Farbe einzufangen und möglichst hohe Türme zu bauen. Simpel aber
doch genial!

Geschenke

Mitbringsel

Was für ein komisches Wort! Es steht nicht einmal im Lexikon und
trotzdem kennt es jeder. Doch oft fällt einem dazu sehr wenig ein.
Ich bemühe mich immer aufs Neue, meine Freude über eine mitge-
brachte Flasche Wein zu zeigen, aber ehrlich gesagt (jetzt oute ich
mich): Ich trinke gar keinen Wein, ich habe noch nie gern Wein getrunken, ich mag ihn einfach nicht. (Liebe Freunde – falls ihr das
lest–, es tut mir ganz schrecklich Leid. Aber trotzdem danke!).
Deshalb habe ich hier nun ein paar alternative Ideen gesammelt für
Mitbringsel und Geschenke für Omas, Opas, Kinder oder Familien.
Dinge, die man mit Kindern basteln kann, die preisgünstig und auch
noch nützlich sind – und Spaß machen.

Lesezeichen

Eigentlich immer gut zu gebrauchen sind Lesezeichen. Beim Basteln
können Kinder aller Altersstufen mitmachen, jedes seinen momenta-
nen künstlerischen Fähigkeiten entsprechend . (Wir schenken übrigens oft in Kombination von uns Eltern ein Buch und von den Kindern
die Lesezeichen dazu.)
Man braucht:

- festeres Papier
- Stifte
- Perlen
- Garn/dünne Wolle
- Locher
- Schere

Ketten

Neulich stand ich in einem wunderschönen Perlengeschäft und wollte eigentlich nur ein paar Kleinigkeiten zum Lesezeichenbasteln besorgen. Doch beim Anblick der ganzen Kostbarkeiten plante ich sofort, in Zukunft alle meine Freundinnen mit selbst aufgefädelten Schmuckstücken zu beehren. Dann sah ich die Preise. Da kostete doch eine Perle, die man fast nicht sah, 80 Cent. Ich war noch nie gut im Rechnen, aber eines wusste ich, eine Perle macht noch keine Kette und schon gar nicht mehrere. Ich begann also möglichst bescheiden in ein kleines Körbchen Perlchen zu sammeln, dazu brauchte ich natürlich noch Band/Seil und Verschluss. An der Kasse wurde jedes einzelne Perlchen eingetippt und als ich den Endbetrag hörte und das winzige Tütchen (zum Glück hatte ich eine Lupe dabei) überreicht bekam, musste ich unwillkürlich schlucken. Vorbei war es da mit meiner Kreativität und ich beschloss, auch die Perlen selbst zu basteln. Mit den Kindern formte ich kleine Kugeln aus Knetmasse, durch die wir mit einem dünnen Stäbchen ein Loch stachen. Es gibt Material, das an der Luft trocknet und dann fast aussieht wie Ton. Eine andere Masse wird nach dem Trocknen leicht wie Holz. Danach kann man sie mit Plaka- oder Akrylfarben anmalen. Auch aus Fimo lassen sich wunderschöne Perlen formen, die man allerdings im Ofen brennen muss. Nun kann das Fädeln beginnen, am besten auf Nylongarn. Lange Ketten werden einfach geknotet, kurze kann man auf dünne Gummibänder fädeln oder man kauft kleine Kettenverschlüsse.

Ich gebe zu, dass unsere Perlen ein wenig größer und leicht schief ausfielen, aber es machte riesig Spaß und insgesamt ließen sich die Ergebnisse durchaus zeigen.

Einpacken mal anders

Ähnlich wie im Perlenladen geht es mir oft auch im Schreibwarengeschäft, zumindest was meine Reaktion auf die Preisschilder betrifft. Dann stehe ich vor den Geschenkpapierbögen und finde es einfach wahnsinnig, wie viel Geld für so wenig Papier ausgegeben wird, das doch sowieso bald wieder weggeschmissen wird. Nun sind Freunde von uns aus eben diesem Grund dazu übergegangen, ihre Geschenke gar nicht mehr einzupacken. Das finde ich allerdings noch schlimmer, denn das liebevolle Verpacken ist für mich immer noch das halbe Geschenk. Also sah ich mich nach anderen Möglichkeiten um.

Von einer Freundin bekam ich eine tolle Anregung für selbst gemachtes Geschenkpapier.

Man braucht dafür:

- Pergamentpapier oder extrastarkes Bastelpapier oder irgendein anderes beschichtetes, festes Papier (das muss man ein bisschen austesten)
- Pastell-Ölkreiden (ähnlich wie Wachsmalkreiden – gibt es im Künstlerbedarfsladen, weiß, gelb, orange und rot eignen sich bei roter und grüner Beize am besten)
- Holzbeize (Pigmente zum Anrühren mit Wasser)
- ein großer Pinsel

Und so geht es:
Das Papier wird zunächst auf einer Unterlage am Boden ausgebreitet. Dann malen die Kinder mit den Ölkreiden Muster, Symbole oder Worte darauf. Nun mit dem Pinsel in die angerührte Beize und über alles drüberpinseln. Dadurch kommen die Zeichnungen richtig schön zur Geltung. Trocknen lassen – fertig!
Auch als Bilder zum Aufhängen superschön!!!

Aber wie macht man Marienkäferpapier? Zunächst packt man die Geschenke einfach mit weißem oder zartgrünem Papier bzw. braunem Packpapier ein. Dann muss man mit einer Kerze rote Punkte auf das Papier tropfen. (Achtung: Viele rote Kerzen sind innen weiß und ergeben nur weiße Punkte!) Nun kann man noch kleine Beine und Köpfchen mit Fühlern an die Wachstropfen malen. Zum Abschluss sollte man eine rote Schleife um das entstandene Marienkäfergeschenk binden.

Oder erinnern Sie sich an den guten alten Kartoffeldruck? Einladungskarten oder eben auch Geschenkpapier sehen wirklich schön damit aus. Man muss eine Kartoffel halbieren und ein einfaches

Symbol hineinschnitzen,
z .B. ein Herz, einen Stern oder
einen Mond. Nun den Stempel in
die Farbe tunken oder mit einem
Pinsel bestreichen, dann aufs Papier drucken. Auch wenn die Farbe
manchmal nicht ganz gleichmäßig verteilt ist, sieht es schön aus.

Haben Sie schon mal Geschenke mit chinesi-
schen Zeitungen verpackt? Die gibt es in internati-
onalen Pressegeschäften an Flughäfen oder Bahn-
höfen. Sie sind zwar etwas teurer als die deutschen
Tageszeitungen, aber immer noch billiger als richtiges
Geschenkpapier. Manchmal findet man auch Anzeigen-
blätter in Asialäden. Mit fremden Zeichen bedecktes
Papier sieht toll aus und es ist wahrscheinlich auch
ganz gut, dass man die Nachrichten nicht entziffern
kann. Denn wer will schon auf dem Geschenk für die
Oma lesen: »Rentnerin von Trickdieben überfallen
und ausgeraubt«?

Auch überholte Landkarten oder Noten eignen
sich gut als Geschenkpapier. (Die Betonung liegt
auf überholt, denn sonst geht es Ihnen wie mir:
Ich nahm unsere älteste Italienkarte, verpackte
die Geschenke meines Mannes zu seinem Geburtstag damit und wunderte mich über sein
entsetztes Gesicht, als er die Verpackung sah. Da
hatte ich doch angeblich die einzige Karte genom-
men, die etwas taugt und die wir die Woche darauf dringend für unseren
Italienurlaub gebraucht hätten!!!)

Also, auch wenn Sie ein Geschenk einnähen wollen, passen Sie auf,
dass Sie nicht das Lieblingshemd ihres Gatten zweckentfremden.
Ansonsten macht es wirklich Spaß, Geschenke in Stoff zu verpacken,
und bunte Meterware gibt es oft sehr günstig. Vielleicht haben Sie
auch noch geeignete Stoffreste – oder eine alte Bluse – übrig.

Rätselhefte

Alle Omas rätseln gern (nicht nur über den Verbleib ihrer Lieblings-
bluse). Warum also nicht mal ein Rätselheft selbst entwerfen? Mit
Fotos und Rätseln, die die Familie betreffen. Im Kreuzworträtsel
könnte z. B. stehen:

Omas Lieblingsbeschäftigung: Enkel
Oma Bärbel kann es gut: Stricken
Lieblingsmusik von Opa: Marschmusik

Ein kleines Kreuzworträtsel ist gar nicht so schwer zu gestalten.
Es muss sich auch nicht so viel überkreuzen wie bei
einem richtigen. Oder man verändert einfach ein
vorhandenes.

Mein erster eigener Fotoapparat

Ein tolles Mitbringsel für Kinder und noch dazu ein richtig
ausgefallenes. Man kauft eine
von diesen ›Wegwerfkameras‹
und ein kleines Album oder
Heft dazu. Mit der Kamera
kann das Kind den Blick auf
›seine Welt‹ im Bild festhalten,
um mit den Fotos später ein
eigenes Album zu gestalten.

Hier noch ein paar weitere Ideen fürs Familien-
rätselheft:

❥ Ein Gesicht aus Fotos von verschiedenen Ver-
wandten zusammengestellt . Man muss erraten,
wer alles darin verborgen ist.
❥ Ein Labyrinth, in dem das Enkelkind zur
Oma will.
❥ Ein Buchstabengewirr, in dem sich die
Namen sämtlicher Enkelkinder verstecken.
❥ Zahlen verbinden: Heraus kommt ein Lieblings-
tier der Oma o. Ä.
❥ Bilder mit Fehlern: Man braucht zwei gleiche
Fotos und nimmt bei einem einige Veränderungen
vor, z. B. der Mama einen Bart malen, dem Papa
eine Brille, dem Kind ein Pflaster.

Klappbücher und Ankleidepuppen

Familienfotos sind natürlich noch auf mancherlei andere Art zu verwenden. Kennen Sie z. B. diese Klappbücher? Man kann Kopf, Oberkörper und Beine einzeln klappen und so die seltsamsten Personen zusammenstellen. Auch so etwas lässt sich leicht selbst machen, z. B. mit Fotos aller Kinder auf der Kinderparty oder aller Verwandten bei einem runden Geburtstag. Man kann auch berühmte Persönlichkeiten aus der Zeitung ausschneiden oder die Figuren einfach selbst malen. Wichtig ist natürlich, dass alle Personen die gleiche Größe haben.
Als Buch eignet sich am besten ein Ringbuch.
Auch Ankleidepuppen sind ein lustiges Geschenk, wenn man sie mit Bildern aus dem eigenen Familien- oder Freundeskreis
gestaltet. Die Pappfiguren werden mit einem Foto-
gesicht beklebt und die Kleidung kann man aus Ver-
sandkatalogen ausschneiden oder selbst malen.

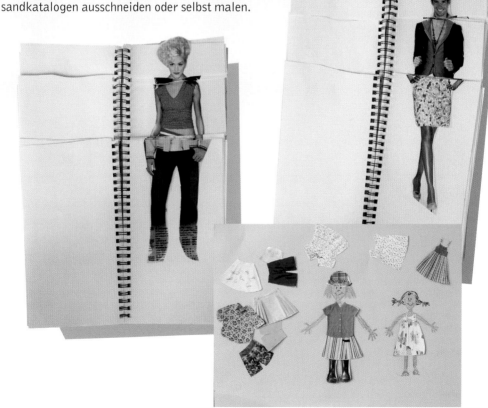

Umhänge für jede Gelegenheit

Verkleiden ist natürlich auch immer ein großer Spaß, und Umhänge sind dabei meist sehr beliebt, da sie ungeheuer variabel sind. Zu unseren ersten Umhängen verhalf uns Herr Tolkien. Denn die Filmplakate für ›Herr der Ringe‹ hingen überall herum und faszinierten meine Kinder ungemein. (Man vergisst manchmal, wie viel Angst ein einziges Bild machen kann und wie stark Werbung Kinder beeindruckt. Die Kondomwerbung vor dem ›Samsfilm‹ im Kino brachte mich z. B. in leichte Verlegenheit: »Mami wofür war die Werbung? Was ist ein Kondom? Wofür braucht man es?« Ich hatte doch nicht im Traum damit gerechnet, die Aufklärung meiner Kinder in solch rasender Geschwindigkeit über die Bühne zu bringen. Aber ich merke, ich schweife schon wieder ab.) Also, ich erzählte den Kindern in einer sehr abgeschwächten Version die Geschichte vom Herrn der Ringe. Sie gefiel ihnen so gut, dass Jakob unbedingt einen ›Frodo-Umhang‹ haben wollte und Paulina sich einen ›Elbenumhang‹ wünschte. So fuhren wir gemeinsam ins Stoffgeschäft. Die Kinder befingerten einen Stoff nach dem anderen, ich las die Preise. Endlich fanden wir einen, der sich sowohl für die Kinderhände als auch für meinen Geldbeutel gut anfühlte: ein samtiges Gewebe für 6 Euro der Meter.

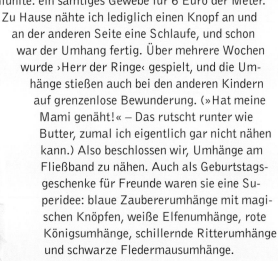

Zu Hause nähte ich lediglich einen Knopf an und an der anderen Seite eine Schlaufe, und schon war der Umhang fertig. Über mehrere Wochen wurde ›Herr der Ringe‹ gespielt, und die Umhänge stießen auch bei den anderen Kindern auf grenzenlose Bewunderung. (»Hat meine Mami genäht!« – Das rutscht runter wie Butter, zumal ich eigentlich gar nicht nähen kann.) Also beschlossen wir, Umhänge am Fließband zu nähen. Auch als Geburtstagsgeschenke für Freunde waren sie eine Superidee: blaue Zaubererumhänge mit magischen Knöpfen, weiße Elfenumhänge, rote Königsumhänge, schillernde Ritterumhänge und schwarze Fledermausumhänge.

Achtung, hier kommt eine Kiste!

Bei der Suche nach ausgefallenen Geburtagsgeschenken für Kinder war ansonsten meine Mutter immer der richtige Ansprechpartner. Von ihr stammte auch die Idee der ›Mottokiste‹. So bekam Jakob mit zwei Jahren eine Postkiste geschenkt. Das Wichtigste darin war natürlich die Posttasche mit Briefmarken, Stempeln, Stempelkissen, Formularen (ganz wichtig, bekommt man auf jedem netten Postamt umsonst, genauso wie die Aufkleber ›zerbrechlich‹ und ›Luftpost‹) und vielen Postkarten (endlich hatten all die schönen Urlaubskarten unserer Freunde einen Aufbewahrungsort). Das Geschenk war der Renner. Wochenlang wurde die Post in alle Zimmer unserer Wohnung ausgetragen von Briefträger Jakob.

Jedes Mal, wenn nun eines meiner Kinder Geburtstag hat, beratschlagen wir, welches Thema diesmal ansteht. Denn das Geschenk sollte immer mit dem aktuellen Interesse des Kindes zu tun haben.

Die nächsten Mottokisten waren bei uns dann eine Detektivkiste (mit Schiebermütze, Lupe, Notizblock, Stift und Geheimschriftenbuch) und eine eigene Bastelkiste. Später folgten u. a. Paulinas Schminkköfferchen und ihr Nähkästchen (die Grundausstattung fürs Nähen sowie einige Stoffreste in einem liebevoll mit Stoff beklebten Karton).

Schatzkisten

Wohin mit den wichtigsten Schätzen? Jedes Kind braucht seine Schatztruhe – oder auch mehrere. Deshalb ist ein kleines Kistchen aus Holz, schön bemalt, mit Namen drauf oder beklebt mit Muscheln, Steinen oder anderem Dekomaterial immer ein willkommenes Mitbringsel.

Der Naturspielkasten

Dieser Kasten war eine Anschaffung, die mir irgendwann einfach sinnvoll erschien. Meine Kinder (6 und 8 Jahre) fingen jetzt nämlich an, sehr schöne Landschaften aufzubauen. Da kam mir die Idee, einen Materialkasten zusammenzustellen, der mittlerweile nicht mehr aus dem Kinderzimmer wegzudenken ist. Auch als Geschenkidee ist er etwas Besonderes.

Man nehme eine schöne stabile Holzkiste. Perfekt wäre eine mit Einteilungen, muss aber nicht sein. Dann geht das Sammeln los:

- große Steine (flache sind sehr gut, da Figuren darauf besser stehen können)
- kleine Steine (zum Beladen von Lastern etc.)
- Wurzeln, Äste, kleine Baumstammscheiben
- Moos (muss lange trocknen!)
- Hölzer (Reste vom Schreiner)
- Stoffe, für den Untergrund (braun für Felder und Berge, blau für Meere, Seen und Flüsse, grün für Wiesen, gelb für kleine Inseln und Strand)
- Stroh (für Gummikühe o. Ä.)

Von den Kleinteilen nur so viel, wie es die jeweilige Mutter verkraftet. Denn ich gebe zu, dass ziemlich häufig kleine Steine oder Stroh in der Wohnung herumliegen.

Das Familienmobile

Eine wunderschöne Idee einer Freundin. Zur Taufe von Klein-Ben wünschte sich die Mama von jedem Verwandten einen selbst gemachten Miniaturvogel. Wie und aus welchem Material, war dabei völlig egal. Jeder nach seinem Geschmack und Können. Die ganze Vogelschar wurde als Mobile über Bens Bett gehängt. Ein schöneres Mobile habe ich noch nie gesehen.

Hilfe, was koche ich heute?

Im Alltag mit Kindern kommt einem als Mutter manchmal nicht nur das Aufräumen, sondern sogar die eigene Standard-Küche zu den Ohren raus. Aber zuweilen fehlt einem einfach die Fantasie, die Lust und die Zeit, neue Gerichte auszuprobieren, und die Frage »Was koche ich heute?« wird langsam nervig.

Deshalb an dieser Stelle mal eine Geschenkidee für Mütter (oder erziehende Väter – seid gegrüßt, ich finde euch toll!):

Lassen Sie sich doch beim nächsten Geburtstag von jeder Freundin/jedem Freund das Rezept für ein ›Lieblingsgericht für den Alltag‹ schenken. Getippt auf einer DIN-A-5-Seite, mit einem Foto oder Gemälde des jeweiligen ›Kochs‹. Gleichzeitig sollten Sie einen Ordner oder ein Buch vorbereiten, in das die Rezepte einsortiert werden können.

Der Adventskalender der guten Taten

Eine schöne Sache ist es natürlich auch, wenn man mal von anderen ›bekocht‹ wird. Solch ein Gutschein für eine Essenseinladung könnte sich z. B. im Adventskalender verstecken. Denn wer sagt eigentlich, dass immer handfeste Geschenke im Adventskalender sein müssen? Wie wäre es mit einem Kalender, in dem nur Zettel sind, alles Gutscheine, die möglichst am selben Tag eingelöst werden müssen. (Denn sonst verfallen sie meistens, ich möchte nicht wissen, wie viele Gutscheine ich in meinem Leben bekommen habe, die nie eingelöst wurden.) Solch ein Adventskalender wäre z. B. schön als Geschenk von Oma und Opa oder von einer Patentante oder einem Onkel.

Auf den Zetteln könnte zum Beispiel stehen: »Gutschein für …

> ... ein Mittagessen nach Wunsch«
> ... einen Spielenachmittag«
> ... einen Kuss«
> ... einmal Musik laut aufdrehen und gemeinsam tanzen«
> ... einmal Schminken wie die Mama« (natürlich nur für schminkbegeisterte Töchter)
> ... eine Süßigkeit nach Wahl im Zeitschriftenladen«
> ... eine Stunde Computerspielen/Fernsehgucken« (macht natürlich nur Sinn, wenn es nicht zur Tagesordnung gehört und eher dosiert bis gar nicht erlaubt ist)
> ... eine Vorlesestunde« (Buch nach Wahl)
> ... einen Bastelnachmittag«

Umgekehrt kann man mit den Kindern natürlich auch so einen Kalender für Oma, Opa, Mama oder Papa basteln. Wenn die Kinder schon schreiben können, schaffen sie das auch ganz allein.
Ein paar Anregungen und schon kann's losgehen: »Gutschein für ...

> ... einmal Tischdecken«
> ... einmal Staubwischen«
> ... einen Kuss«
> ... ein selbst gemaltes Bild«
> ... ein Lesezeichen«
> ... einen ausgeschnittenen Stern«
> ... ›Heute bin ich den ganzen Tag lieb‹«
> ... einmal Mamas Nähkästchen aufräumen«

Das Nähkästchen meiner Mutter zu sortieren fand ich als Kind übrigens eine der schönsten Hausarbeiten: Nadeln zu Nadeln, Garn nach Farben ordnen und das Tollste, nach ein paar Wochen durfte ich die Arbeit wiederholen.

Urlaubsgrüße

Haben Sie schon mal Postkarten selbst gemalt und aus dem Urlaub nach Hause geschickt? Alles was man tun muss, ist ein Stück festere Pappe in Postkartengröße und Stifte mit in den Urlaub zu nehmen. Wenn man dann im Restaurant die Wartezeit verkürzen möchte, können die Kinder Szenen aus dem Urlaub aufmalen: Palmen, den Strand, einen Fisch oder das Hotel. Die Omas und Opas werden sich freuen.

Babys
und Kleinkinder

Mit allen Sinnen die Welt erkunden

Das Stoffbuch

Für Babys ist zunächst ja fast alles neu, und sie müssen die Welt um sich herum durch all ihre Sinne erkunden. Als Jakob ein Baby war, war ich fest davon überzeugt, er würde später mal ›Stoffprüfer‹ werden. Denn er liebte es, seine Nase in unterschiedliche Stoffe zu pressen oder sie mit den Händen zu befühlen. Es gab da auch noch einen Lieblingsstoff, an dem konnte er sich nicht satt sehen und tasten und riechen, dabei ruderte er wie wild mit seinen Ärmchen vor Aufregung. Da bekam er von seiner Oma das ›Stoffprüferbuch‹. Sie hatte einfach aus verschiedenen Reststoffen, mit verschiedenen Mustern und Materialien von unterschiedlicher Struktur ein Buch zusammengenäht. Es war über lange Zeit Jakobs Lieblingsbuch. Vielleicht gibt es noch mehr angehende Stoffprüfer. Also, Omas und Mamis, ran an die Nähmaschine!

Das ultimative Kuschelkissen

Da das Fühlen und Festhalten nun mal so wichtig ist, finde ich, dass jedes Kind ein Kuschelkissen haben sollte: zum Schmusen, zum Trösten, als Beistand im Krankheitsfall oder einfach um es sich beim Hörspielhören gemütlich zu machen.
Ganz besonders persönlich wird dieser Lebensbegleiter, wenn die Kinder beim Aussuchen der Stoffe und beim Nähen mithelfen dür-

fen. Übrigens, ein »Ich kann aber nicht nähen!« gibt's nicht. Dafür, dass ich selbst nicht nähen kann, habe ich schon einiges zu Stande gebracht, wenn auch das eine krumm und das andere schief ist – aber wen stört das? Und ein Kissen kriegt man allemal hin.

Schnappen Sie sich ihr Kind und fahren ins nächste große Stoffge-schäft! Allein das ist schon ein Erlebnis: die vielen verschiedenen Materialien zu befühlen, Knöpfe anzuschauen und dann die kusch-ligsten Stoffe für das eigene Kissen auszusuchen.

Eine andere Möglichkeit – den Tipp habe ich von einer Freundin – ist es, ein Kissen aus alten, oft getragenen Babystramplern zu nähen. Das hat den Vorteil, dass die schon ganz weich gewaschen sind, viele Erinnerungen bergen und man sich somit von den schönsten Teilen nicht trennen muss (man muss es nur über sich bringen, sie zu zer-schneiden). So habe ich neulich auch aus einem von Paulinas Lieb-lingsschlafanzügen (sie wollte ihn nicht an jemanden abgeben und ihr war er hoffnungslos zu klein) ein Kuschelkissen gemacht.

Darf ich vorstellen: Knoten!

Wie wir nun also wissen, ist der Tast-sinn für Kinder von enormer Bedeu-tung, und oft hat das Befingern auch eine beruhigende Wirkung. So musste Paulina – wie oben bereits erwähnt – zum Einschlafen immer an meinem Handrücken ›knibbeln‹. Bei dem Versuch, ihr dieses abzugewöhnen, ent-stand Knoten. Wir hatten verschiedene Fassungen: einen aus einem Spucktuch, einen aus einem alten Stofftaschentuch und den Definitiven schließlich aus Frotteestoff. Knotens Kopf ist mit einer Holzkugel (aus dem Bastelgeschäft) ausgestopft. Sein Gesicht ist mit schwarzem Garn gestickt und mit Stoffresten sind noch Extra-Knoten an ihn drangeknotet. An denen kann das Kind knibbeln und nuckeln und den ganzen Kerl kann es einfach lieb haben.

Flaschenrasseln

Babys lernen die Welt aber natürlich nicht nur fühlend kennen, sondern auch sehend und hörend. Deshalb ist alles interessant, was Krach macht, besonders wenn man auch noch sieht, wodurch das Geräusch entsteht. Doch man muss nicht unbedingt teures Babyspielzeug kaufen, viele Dinge sind schnell selbst gemacht: Man nehme kleine durchsichtige Plastikflaschen mit Drehverschluss, fülle sie mit verschiedenen Zutaten, wie Konfetti, Perlen, buntem Sand etc., schraube (oder klebe) den Deckel sehr gut zu und schon hat man für die Kleinen die tollsten Rasseln.

Kinder gehören in die Küche

Meine Babys habe ich immer zu mir in die Küche gelegt – oder später gesetzt. Mit ein paar Tupperware-Schüsseln mit Deckeln und einigen Dingen zum Umfüllen. Oder auch mal ein Schlagzeug aus Holzlöffeln, Töpfen und Deckeln – ein bisschen laut, aber durchaus spaßig. Denn auch für die ganz Kleinen gilt: Dabei sein ist alles.

Ein Fühlspiel

Bei diesem Spiel für Kleinkinder geht es wieder ums Fühlen, aber nicht darum, selber etwas anzufassen, sondern ein Muster zu erkennen, das einem auf den Rücken gemalt wird. Das geht ganz einfach. Auf kleine Karteikarten malt man Symbole, wie z. B. Herz, Dreieck, Kreis, Kreis mit Punkt in der Mitte, Wellenlinie. Ein Mitspieler dreht einem anderen den Rücken zu, auf den dieser nun mit seinem Finger eines der Symbole zeichnet. Wenn der ›Bemalte‹ die Form erkannt hat, greift er nach dem entsprechenden Kärtchen.

Ein Fotoalbum für das Baby

Neben dem Stoffprüferbuch war Jakobs Lieblingsbuch eines dieser kleinen Fotoalben mit Folientaschen. Ich steckte Fotos von Verwandten und Freunden hinein sowie von besonderen Anlässen: Jakob beim Tag der offenen Tür bei der Feuerwehr, Jakob mit Geburtstagskuchen, Jakob verkleidet im Fasching, Jakob mit dem Nachbarshund. Eben alle Dinge, die so einem kleinen Menschchen wichtig sind. Das Buch half ihm auch beim Sprechenlernen, denn beim gemeinsamen Anschauen musste er immer wieder alles benennen: »Oma, Opa, Jajo beim Feuerlössen« Auch heute mit acht Jahren liebt er dieses Büchlein noch sehr und lacht sich kringelig über sein Aussehen als Baby.

Theaterspielen mit ganz Kleinen

Schon die ganz Kleinen lieben Geschichten. Geschichten, die einfach so erzählt werden, und wenn man diese noch mitspielen kann, umso besser. Deshalb dachte ich mir einige kleine Theatergeschichten aus. Ich stelle mich mit den Kindern in einen Kreis und beginne zu erzählen: »Bei dieser Geschichte dürfen wir alle Dinge mitmachen, die man mitmachen kann. Auch die Gefühle, wie ärgern, wundern, staunen und freuen, spielen wir nach.« Sie werden staunen, was die Kleinen schon können.

Kleine Vögel im Nest

Wir machen uns ganz klein. Wir sind Eier in einem Vogelnest. Ein gelbes, ein grünes, ein blaues und ein rotes. Plötzlich beginnen die Eier, sich zu bewegen. Hin und her. Da platzt die Schale auf und wir Küken schlüpfen langsam heraus. Eines hat einen gelben Schnabel, eines einen grünen ... Wir strecken uns und räkeln uns, denn in dem Ei war es so schrecklich eng. Jetzt sehen wir uns um. Wir sehen zum ersten Mal die Welt und staunen. Da gucken wir an uns herunter. Und entdecken kleine Flügel. Wir bewegen sie auf und ab. Und auf und ab. Und jetzt versuchen wir, mit den Flügeln zu fliegen. Aber wir kommen keinen Zentimeter vom Boden weg. Die Flügel sind zu klein. Wir ärgern uns und stampfen vor Ärger mit dem Fuß auf. Ganz fest. Da setzen wir uns wieder ins Nest und warten, bis wir wachsen. Wir warten und warten. (Gähn) Und eines Tages probieren wir es wieder. Und da geht es. Wir fliegen!!!!

(Beinahe) 99 Möglichkeiten, den Schnuller loszuwerden

(Von führenden Müttern empfohlen und von mir gesammelt)

- dem Nikolaus mitgeben für andere Kinder auf dieser Welt
- feierlich im Klo versenken (So eine Wasserbestattung ist nicht sehr umweltfreundlich, aber durchaus eindrucksvoll.)
- aus dem Fenster werfen (Hier droht die Gefahr, sie am nächsten Tag beim Spaziergang wieder zu finden!)
- einfach in den Müll werfen (Bei uns war es eine Nacht- und Nebelaktion. Wir gingen mit Taschenlampen und Jakobs bestem Freund Sebastian als Unterstützung in die großen Tonnenräume, in denen es so stinkt, dass man nicht im Traum daran denkt, den Schnuller wieder herauszuholen. Zum Glück gab es passend zu unseren sechs ›Nucklern‹ sechs Tonnen, in denen wir sie verschwinden lassen konnten.)
- im Spielwarengeschäft gegen etwas eintauschen (Ich bin sicher, da spielen die Verkäufer mit, wenn man sie mal kurz beiseite nimmt und ihnen die Situation verdeutlicht.)
- unter das Kopfkissen legen und der Schnullerfee einen Brief schreiben, dass sie ihn gerne im Tausch gegen ein kleines Geschenk abholen kann. (Ein neues Knuddeltier ist manchmal ein fabelhafter Schnullerersatz.)
- in einem Brief ans Christkind schicken (Vorsicht, keinen Absender drauf schreiben! Sonst kommt der ›Diezi‹ immer wieder zurück, wie ein Bumerang.)

Der Seifenblasentrick

Ich kann Seifenblasen verschwinden lassen! Ich puste sie in die Luft, schnappe mir eine mit der Hand und wenn ich die Hand öffne, ist die Seifenblase weg. Ich kann sie auch in meinem Mund verschwinden lassen. Da sagt jetzt bestimmt jeder, ich würde sie runterschlucken. Aber wenn man genau auf meinen Hals guckt, merkt man, dass ich weder schlucke noch kaue. Ein sehr faszinierender Trick für die ganz Kleinen. Wenn man jetzt noch heimlich ein kleines Bonbon in die Hand schmuggelt, sieht es wirklich so aus, als könne man eine Seifenblase in ein Bonbon verwandeln.

- mit einem Brief an ein armes Kind in einem fernen Land schicken (Natürlich schreibt man auf den Brief irgendeine Fantasieadresse.)
- in einem Kuvert in die Nuckelstraße 99 nach Schnullerhausen schicken(Einige Tage später kommt dann aus Schnullerhausen ein kleines Paket mit einer Überraschung. Pakete bekommen ist immer toll!)
- eine feierliche Beerdigung im Garten
- mit der Schere zerschneiden
- im Wasser versenken (Einen Stein daran binden, damit er untergeht. Wenn das Wasser nicht so tief ist, würde ich darum bitten, dass Mami oder Papi ihn etwas später wieder herausfischen und entsorgen.)
- im Eisfach einfrieren (Für schlechte Zeiten!)
- in einen Schneeball einpacken und ins Eisfach damit
- bei der Oma ›vergessen‹, die den Schnuller trotz intensiver Suche leider eine Woche lang nicht finden kann (Vorraussetzung ist, man hat nicht fünf Ersatzschnuller im Haus.)

Für alle Möglichkeiten gilt: Sie sollten sich auf ein paar Abende einstellen, an denen das Einschlafen schwieriger ist. Ein besonders schönes und vielleicht neues Einschlafritual könnte da helfen. Vielleicht können Sie das Kind auch einige Tage lang eine halbe Stunde später ins Bett bringen, damit es müder ist als normal und dadurch schneller einschlafen kann.

So, und was macht man jetzt mit den Daumenlutschkindern? Den Daumen kann man weder wegwerfen noch im Kuvert verschicken. Man trifft vielleicht Abmachungen: Jedes Mal, wenn der Daumen in Richtung Mund geht, das Kind es aber selbst bemerkt und ihn wieder herauszieht, bekommt es ein Sternchen. Für Tage (Stunden?), an denen es das Kind ganz ohne Daumen im Mund schafft, zwei Sternchen. Die Nacht würde ich erst einmal außen vor lassen, Schritt für Schritt. Für so und so viele Sternchen gibt es etwas aus der Sternenkiste. Und dann kann man mit dem Kind gemeinsam überlegen, wie man das in der Nacht hinbekommt, ob es sich z. B. vorstellen könnte, mal mit Handschuhen zu schlafen.

Kinder
Geburtstage

Das Geburtstagsfestgeheimnis

Ich höre zahlreiche Mütter stöhnen, wenn es um Kindergeburtstage geht. Das ist wahrscheinlich auch der Grund dafür, dass viele Familien ab dem sechsten Geburtstag zur Feier mit der ganzen Horde Kinder ins Kino gehen.

Dazu möchte ich gern etwas loswerden. Rechnen wir uns doch mal aus, wie viele Kindergeburtstage wir im Laufe unseres Lebens ausrichten müssen/dürfen. Gehen wir davon aus, dass mit drei Jahren die Partys beginnen und das Kind ab zehn oder elf keine von den Eltern organisierten Feiern mehr will. Verbleiben pro Kind rund sieben Tage. Auf unser Leben gesehen ist das doch wirklich nicht viel. Also sollten wir diese wenigen Gelegenheiten doch ausnützen und voll genießen. (Gut, vielleicht haben Sie ja fünf Kinder, dann feiern Sie im Laufe ihres Lebens über einen Monat nur Kindergeburtstage. Aber bei mehreren Kindern bekommt man ja auch Routine und kann einige Partythemen öfter verwenden, so dass sich der Aufwand der Planung gleich mehrfach lohnt!!!)
Und zum Thema Kino: Wie wäre es mal mit Heimkino mit Popcorn und gemütlichem Sofa?

Ich habe jetzt schon sieben Jungsgeburtstage, fünf Mädchengeburts-
tage und einige Kindersommerfeste hinter mich gebracht und war
jedesmal danach einfach glücklich, weil es so schöne, gelungene Feste
waren. Klar erfordert es viel Arbeit und viele Abende ›Gebastel‹, aber
mittlerweile spanne ich meine Kinder oder auch Omas einfach bei den
Vorbereitungen mit ein.
Mein Geheimnis: ich stelle den Geburtstag unter ein Motto und
mache aus dem Motto eine Geschichte, aus der sich die Spiele ergeben. Hat man das einmal raus, funktionieren alle Mottos nach dem
gleichen Prinzip: egal ob Pirat, Cowboy oder Prinzessin.
Der Trick daran ist, dass die Kinder so in der Geschichte drin sind, so
verwachsen mit ihrer Rolle, dass keine Chance bleibt zum Ausflippen,
Aufdrehen, Beleidigtsein oder was man sonst noch so alles kennt.
Hier ein paar Ideen für Geburtstagsmottos:

- Prinzessinnen
- Detektive
- Pyjamaparty
- Cowboys
- Piraten
- Ritter
- Zirkus
- Geisterbahn/Gespenster
- Unter Wasser
- Auf dem Mond
- Rummelplatz
- Pippi Langstrumpf
- Olympiade
- Bibi Blocksberg/Harry Potter
- Märchen
- Filmemacher

Da ich leider nicht auf jedes Motto eingehen kann, habe ich mir zwei
herausgepickt, die ich genauer erklären möchte.

Eine Party für Detektive

Lange versuchte ich, meinen Sohn zu seinem achten Geburtstag von einem anderen Motto zu überzeugen. Waren Detektive doch so gar nicht mein Fall, und ich dachte auch nicht, dass mir viele Dinge zu diesem Thema einfallen würden. Aber als ich schließlich anfing, mich damit auseinander zu setzen, sprudelten die Ideen nur so heraus.

Ich gehe immer auf dieselbe Art vor. Ich setze mich vor ein leeres Blatt, schreibe die Überschrift: D E T E K T I V E und liste darunter alles auf, was mir dazu einfällt, was damit zu tun hat, was ich damit verbinde. Von Sherlock Holmes über die Fünf Freunde bis zum Spurensuchen. Und plötzlich kommen die Geistesblitze. Wenn nicht, gehe ich in die Buchhandlung und gucke in Bücher, die etwas (was auch immer) mit dem Thema zu tun haben.

Fangen wir bei der Einladung zur Detektivparty an. Die muss natürlich verschlüsselt sein. Und damit trotzdem alle zur richtigen Zeit am richtigen Tag kommen, steht der Schlüssel auf der Rückseite. Wir haben uns ein Alphabet aufgeschrieben und zu jedem Buchstaben ein Zeichen erfunden. Außen auf dem Kuvert stand in großen Buchstaben ›GEHEIM‹ und Jakob drückte seinen Fingerabdruck mit Hilfe eines Stempelkissens darauf.

Nun zur Geschichte:
Ich war Sherlock Holmes. (Ich bemühte mich sehr um
einen englischen Akzent). Mein Mann gab einen her-
vorragenden Watson ab. Ich erzählte den Jungdetek-
tiven, dass ich langsam zu alt sei für diesen aufregen-
den Beruf und deshalb diese Detektivschule gegründet
hätte, in der sie zu guten Detektiven ausgebildet werden
würden. Nun brauchte jeder noch einen Decknamen und
alle zusammen eine Parole. Wir sprachen mit der Hand
auf dem Herzen den Detektivschwur: »Wir geloben,
immer zusammenzuhalten und füreinander einzustehen
...« Die kleinen Notizblocks und Stifte wurden verteilt
und die Ausbildung ging los.
Sie war in sieben Lektionen aufgeteilt:

1. Tarnung
Dazu hatte ich einige Hüte, Perücken, falsche Nasen
und Bärte vorbereitet und das Gelächter war groß, wie
alle aussahen.

2. Identifikation
Zuerst übten wir mal, das Wort auszusprechen, was
gar nicht so leicht war. Ich, Sherlock, erklärte, was es
bedeutete und wie wichtig eine gute Beobachtungsga-
be ist. Plötzlich warf ich eine Decke über ein Kind und
fragte, wer es beschreiben könne: Was es anhat, welche
Augenfarbe usw.

Das zweite Spiel zu dieser Lektion war ›Finde die fünf
Unterschiede‹. Dazu musste einer rausgehen und wir
veränderten fünf Dinge an den Kindern. Einer zog einen
Socken aus, zwei tauschten die Pullis usw.
Dann mussten sie sich 20 Gegenstände, die auf dem
Tisch lagen, genau ansehen. Unter einem Tuch wurde
nun einer davon weggenommen und die Detektive muss-
ten herausfinden, welcher fehlte.

3. Phantombilder

Ich hatte aus Zeitschriften große
Köpfe ausgeschnitten und diese
wiederum zerschnitten, in Augen-,
Nasen- und Mundpartien. Jetzt legten die Kinder neue Gesichter zusammen. Wir klebten sie auf eine große Pappe, damit die anderen
Eltern am Abend die Phantombilder noch bestaunen konnten.

4. Denken und Handeln wie der Gegner.

Ich befestigte an einem Jackett viele kleine Glöckchen und steckte in
die Innen- und Außentaschen Schokotaler. Watson war der Lockvogel. Er zog die Jacke an und stellte sich schlafend. Die Detektive versuchten nun die Goldtaler aus den Taschen zu stibitzen, ohne dass ein
Glöckchen läutete. Klingelte es, wachte Watson auf und der ›Dieb‹
musste ein Ablenkungsmanöver vorspielen: »'Tschuldigung, ich wollte
sie nur wecken, weil der Bus gleich kommt.«

5. Geheimschriften

Das plötzliche Erscheinen der mit Feder und Zitronensaft geschriebenen Worte, die erst sichtbar werden, wenn man sie mit einem Feuerzeug erhitzt, war auch für mich ein Erlebnis. Wie bei einer magischen Schrift tauchen die Buchstaben unvermittelt aus dem Nichts
auf einem leeren Blatt Papier auf.
Dann mussten die Kinder noch einen Text in Chiffreschrift entziffern. Die Worte waren mit Hilfe eines doppelten Buchstabenrads
verschlüsselt worden. Dieses Rad besteht aus einem kleineren auf
einem etwas größeren Rad. Auf beiden ist das Alphabet an den Rand
geschrieben. Durch das Drehen des kleineren Rads kann man nun das
Alphabet ›verschieben‹, z. B.

A = Z
ZOEDKLTR = Apfelmus
A = S
LQLLQCSCSKWW = Tittikakasee

6. Spurensicherung

Ich, Sherlock, erklärte erst einmal alles, was man zum Thema Spuren wissen muss: von Humpelspuren, Reifenspuren, Tierspuren usw. Außerdem zeigte ich einen Trick, mit dem man erfahren kann, ob jemand während seiner Abwesenheit im Zimmer war. Man nehme ein Haar und befestige es mit zwei Streifen Tesafilm unten zwischen geschlossener Tür und Türrahmen. Wenn man nach Hause kommt und feststellt, das Haar ist zerrissen, war jemand im Zimmer.
In unserem Spiel ging es schließlich darum, Fingerabdrücke wieder zu erkennen. Zunächst machte jeder mit Hilfe eines Stempelkissens einen Abdruck auf einen kleinen Zettel, auf dessen Rückseite sein Name stand, sowie einen auf ein großes Blatt, auf dem unter dem jeweiligen Namen alle Abdrücke gesammelt wurden. Dann musste jedes Kind einen der kleinen Zettel ziehen und anhand des Vergleichs mit dem großen Bogen herausfinden, von wem der Abdruck war.

7. Alibi

Das war bei der Planung mit Abstand das komplizierteste Spiel, aber das tollste für die Jungdetektive. Alle sitzen in einem Kreis. Einer ist der Detektiv und geht raus. Ein Mord ist geschehen. Jetzt bekommt jeder einen ›Alibisatz‹, den er sich merken muss, z. B.:

A sagt: »Ich habe mit F über das Fußballspiel geredet.«
B sagt:» Ich habe mit D Karten gespielt.«
C sagt: »Ich habe mit D Hausaufgaben gemacht. «
D sagt: »Ich habe mit B Karten gespielt.«
E sagt: »Ich habe geschlafen.«
F sagt: »Ich habe mit A geredet.«
G sagt: »Ich habe alleine eingekauft.«

Der Detektiv kommt rein und befragt jeden. Er muss, herausbekommen, wer hier lügt. In diesem Fall war es natürlich C.
Schwierig war die Verteilung der Sätze, weil alle wild durcheinander riefen, wer Lügner sein wollte und wer auf gar keinen Fall.

Beispiel 2:

A sagt: »Ich habe bei D einen Hamburger gegessen.
B sagt: »Ich habe D Milch für einen Pfannkuchen gebracht.«
C sagt: »Ich habe am Computer gespielt.«
D sagt: »Ich habe gekocht.« (Hier muss der Detektiv noch mal nach-
fragen ,was er gekocht hat, worauf D »Pfannkuchen« antwortet.)
E sagt: »Ich habe geschlafen.«
F sagt: »Ich habe mit A geredet.«

Für jede durchgeführte Lektion bekamen die Detektive einen Stempel
in ihre Notizblocks.

Und, wer war es???

Jetzt haben alle die Ausbildung bestanden und erhalten ihre Detektiv-
ausweise und Diplome (eins von beiden genügt natürlich auch).
Dann kommt der gemütliche Teil. Es gibt noch etwas zu essen und
weil alle so toll mitgemacht haben, will ich die Preise aus der Küche
holen, doch – ach, du Schreck!– sie sind weg. Ich kreische los, doch
da fällt mir ein, dass ich ja einige frisch gebackene Detektive im Haus
habe, die diesen Fall lösen könnten.
(Vorher haben wir natürlich alles vorbereitet, Watson war der Dieb
und hat unübersehbare Spuren hinterlassen – einen Mehlspurfußab-
druck, eine Feder, die auf das Versteck im Schlafzimmer hinweisen
soll, etc. Doch entweder der Ausbilder war so schlecht oder unsere
Spuren zu schwer, jedenfalls mussten wir die Detektive mit der Nase
auf die Lösung stoßen.
Und so kam schließlich
jeder doch noch zu seiner
kleinen Tüte mit Süßig-
keiten und einer Mini-
lupe.

Prinzessin Paulina lädt zum Ball

Auch Paulinas fünfter Geburtstag wurde unter ein Motto gestellt und – wie sollte es anders sein – sie wünschte sich ein Prinzessinnenfest. Erster Schritt: Die Einladungskarten wurden selbst gemacht: Man schneide kleine Kleider aus Glitzerstoff sowie Kronen aus Goldpapier aus und klebe beides auf eine Karte. Die Kinder dürfen die Prinzessinnengesichter dazwischen malen. Nun muss man noch einen hochherrschaftlichen Text dazu schreiben – in dem Stil, wie man eben damals so gesprochen hat – und das Ganze an die edlen Gäste verteilen.

Jetzt ging für mich erst die richtige Arbeit los. Welche Spiele kann man machen, die irgendetwas mit Prinzen, Prinzessinnen und Hofstaat zu tun haben? Ich ging alle Märchen durch und plötzlich kamen die Ideen wie von selbst:

- ❧ Zöpfe flechten: Dazu werden je drei dicke Wollfäden an den Türklinken festgebunden und die Kinder sollen daraus um die Wette Zöpfe flechten. (Rapunzel)–
- ❧ Zopfanstecken (wie beim Eselschwanz-Ansteckspiel): Auf ein großes Papier an der Wand wird ein Turm gemalt, aus dem Rapunzel herausschaut. Die Kinder müssen nun nacheinander mit verbundenen Augen die Leiter zum Turm heraufklettern und an Rapunzels Kopf mit doppelseitigem Klebeband einen langen Zopf anbringen. (Rapunzel)
- ❧ Frösche kegeln: Aus Pappe ausgeschnittene Frösche müssen mit einer silbernen Kugel (ein mit Alufolie umwickelter Ball) umgekegelt werden. (Der Froschkönig)
- ❧ Erbsen aussortieren: Zum Glück gibt es ja hell- und dunkelbraune runde Frühstückscerealien, die man mit Löffeln in zwei verschiedene Schalen sortieren (und nachher sogar essen) kann. (Aschenputtel)
- ❧ Taubenfeder pusten: Alle setzen sich um einen Tisch und versuchen, nur mit Pusten eine weiße Taubenfeder möglichst lange auf

hochwohlgeborene Hoheiten
von fern und nah

zum königlichen Ball

am 1. Februar
14 bis 17 Uhr

laden die
durchlauchtigste Hoheit
Prinzessin Paulina Sophie Rapunzel
von Borstanien

PS. Falls es sich begeben sollte, daß die windlichen Pocken ihre Lieblichkeit ereilen, senden wir Herolde aus, dies zu verkünden.

dem Tisch hin- und herzubewegen, ohne dass diese herunterfällt. (Aschenputtel)

❧ Schuhpaare finden: Jeder muss mit verbundenen Augen aus einem Berg einzelner Schuhe ein passendes Paar zusammensuchen. (Aschenputtel)

❧ Stöckelschuhhindernislauf – für 5-Jährige allerdings ziemlich schwer (Aschenputtel): Nacheinander zieht jedes Kind meine Stöckelschuhe an und versucht damit den Hindernisparcours im Flur zu meistern. Der besteht aus Dingen über die man steigen muss oder Flaschen, um die man im Slalom gehen muss, ohne sie umzustoßen. Man kann auch auf einem Löffel einen Tischtennisball balancieren, was in den zu großen Stöckelschuhen nicht so einfach ist.

❧ Äpfel schnappen: Jeder muss mit auf dem Rücken verschränkten Armen einen Apfel nur mit dem Mund aus einer Schüssel mit Wasser herausfischen. (Schneewittchen)

❧ Das Zwergenspiel: Zur Vorbereitung muss man je sieben Mützen, Köpfe, Pullis und Hosen sowie je 14 Schuhe und Hände aus verschiedenfarbigem Tonpapier ausschneiden und mischen. Die Kinder dürfen dann alles wieder richtig zusammenpuzzeln. (Schneewittchen)

❧ Der Kissenturm: Alle müssen gemeinsam einen möglichst hohen Turm aus Kissen aufstapeln. (Die Prinzessin auf der Erbse)

Nun geht es darum, diesen Spielen einen Rahmen zu geben. Dazu ist natürlich der passende Empfang schon mal ganz wichtig: richtig altertümliche Rittermusik und ein fein gedeckter Tisch mit kleinen Kronen als Namensschildchen. Aus einer Verkleidungskiste darf sich jeder mit adligen Gewändern bedienen (manchmal tut's auch Mamis weiße Knitterlookbluse mit einem goldenen Gürtel). Vielleicht bastelt man auch erstmal Kronen mit den Kindern: einen Streifen Goldpapier einfach mit einem Tacker zusammentackern und oben Zacken hineinschneiden, bei Bedarf noch mit Glitzer verzieren oder bemalen. Dann erhält jedes Kind einen eigenen Prinzessinnen- oder Prinzennamen und die Geschichte kann losgehen.

Die Geschichte der Prinzessin Lala

Es war einmal eine kleine Prinzessin. Die konnte wunderschön singen. Sie hieß Prinzessin Lala und ihr Gesang war so berühmt, dass die Menschen von weit weit her kamen, um sie singen zu hören.

Lied (Melodie Dschungelbuch- Mädchen)
»Vater ist ein großer König,
Mama ist die Königin,
ich bin die Prinzessin Lala
nun hört her wie schön ich sing.
Ja, ich sing wunderschön,
viele Menschen kommen he-er,
um mich mal singen zu hör'n«.

Aber es gab auch eine böse Königin im Land. Die Königin Tralala, die meinte, sie könnte am schönsten im Land singen und jeden Tag stand sie vor ihrem Zauberspiegel und fragte:
»Spieglein, Spieglein an der Wand, wer singt am schönsten im ganzen Land?«
Und der Spiegel erwiderte »Sing, sing, sing, meine Königin!«.
Da begann die Königin zu singen (dieses Lied bitte so falsch wie möglich, auf die Melodie von »Oh wie verführerisch sind Schokokrossis...).

»Ich bin die Königin,
und ich sing, sing, sing, sing ...
Klingt das nicht gu-ut,
das geht ins Blu-ut
ihr müsst mich lieben,
brauch nicht lang üben,
unwiderstehlich – ist mein Gesang,«

Der Zauberspiegel hielt sich die Ohren zu – und das war für einen Zauberspiegel ganz schön schwer, denn habt ihr schon mal einen Spiegel mit Ohren gesehen? Er schrie: »Stopp, Stopp haltet ein! Frau Königin – ihr singt ja grausam hier – Prinzessin Lala im Land der Melodien singt 1000 Mal schöner als ihr!!!«

Da wurde Königin Tralala sehr wütend und machte sich auf den Weg ins Land der Melodien. Dort wurde gerade ein Fest gefeiert, es war der 5. Geburtstag der kleinen Prinzessin Lala und sie hatte all ihre Freunde und Freundinnen eingeladen:
Prinzessin Sternschnuppe, Prinz Drachenschlucht, Prinzessin Blümchen, Prinzessin Zuckersüß, Prinzessin Seidenzart und Prinzessin Wolkenweiß.

Und gerade als die kleinen Hoheiten Prinzessin Lala baten, für sie zu singen, kam die böse Königin herein. »Niemand soll es wagen, besser als ich zu singen. – Dein Gesinge find ich dumm, drum sei von nun an lieber stumm! Hex hex, äh ich meine, ich bin ja nicht Bibi Blocksberg. Hokus pokus, also nein abra kadabra, was rede ich, Harry Potter bin ich auch nicht. Magratanie trallalla.«
Da war die Prinzessin stumm. Kein Laut kam mehr heraus aus ihrem kleinen Mund. Das machte alle auf dem Ball sehr traurig und sie beschlossen, der kleinen Prinzessin zu helfen. Prinzessin Sternschnuppe hatte eine Idee: »Die weise Schildkröte Walpurga weiß sicher Rat.« Und sie machten sich auf den gefährlichen Weg durch die blaue Höhle (Krabbeltunnel), über den schmalen Grat der Mäuseschlucht (Balancierbalken oder Schnur, die am Boden liegt), am schlafenden Wächter vorbei (Papa mit Toilettenpapier einwickeln), zur alten Schildkröte Walpurga.
Walpurga: »Was wollt ihr, ihr kleinen Prinzen und Prinzessinnen?«
(Kinder antworten – wenn man Glück hat).
Walpurga: »Um der kleinen Lala zu helfen, müsst ihr sieben Kräuter finden, daraus einen Tee brauen, dessen Duft die kleine Prinzessin einatmen muss. Die Kräuter bekommt ihr, wenn ihr sieben Aufgaben erfüllt.« (7 Spiele).
Nun wird den Kindern für jedes erfolgreich durchgeführte Spiel ein Säckchen mit einem Gewürz oder anderen Kräutern, wie zum Beispiel Paprikapulver, Pfefferminz, Zimt, Pfeffer oder aber auch ein gut duftendes Parfüm von Walpurga überreicht. Nachdem alle Kinder an den Päckchen geschnuppert haben, schüttet man die Gewürze in einen Teller und hält sie Prinzessin Lala unter die Nase.
Und Prinzessin Lala war wieder geheilt. Sie konnte wieder wunderschön singen, und das Fest dauerte noch bis zum Abend. Und wenn sie nicht gestorben ist, so singt sie noch heute.

Jetzt zur Handlung: Ich spielte gleichzeitig die Prinzessin Lala und die Schildkröte Walpurga (beides Handpuppen) sowie den Zauberspiegel und die böse Königin. Für die Rolle der Königin setzte ich mir jeweils schnell eine Krone auf und immer wenn der Spiegel sprechen musste, schaute ich durch einen Rahmen, den ich aus Goldpapier ausgeschnitten hatte. Außerdem benötigte ich noch einen schönen Teller mit sieben Gewürzen in kleinen Säckchen darauf sowie ein königliches Kissen für die Schildkröte Walpurga. (Keines der Spielaccesoires habe ich extra gekauft. Also seien Sie kreativ mit dem, was eben gerade im Haus ist: ein alter, ehrwürdiger Wurm aus einem bunten Socken tut es manchmal auch.)

Als ›Tüte‹ für die Preise nähte ich kleine Säckchen mit Kronen vorne drauf, aber nur weil ich komplett verrückt bin und an diesem Abend einfach Lust dazu hatte und gerade eine alte Nähmaschine bekommen hatte. Aber Fertigtüten aus dem Supermarkt, die man noch mit einer aufgemalten Krone verziert, reichen auch.

Auch hier gilt, jeder macht nur das, was er kann, wie viel er will und zu was er Zeit und Muße hat. Es sind alles nur Vorschläge, keine Vorgaben. Und nicht vergessen, auch Dinge abzugeben, ist ein Talent. Oft ist man von nähenden oder strickenden Omas umgeben, die einem gerne unter die Arme greifen würden.

Das Geburtstagsplakat

Ich fände es ein schönes Ritual, wenn die Familie für jeden zum Geburtstag ein ganz persönliches Plakat basteln würde. Darauf sollte in großen Ziffern das Alter des Geburtstagskindes stehen. Rundherum könnte man Fotos aus seinem Leben aufkleben, von der Babyzeit bis heute. Außerdem kann man noch Dinge dazu malen oder kleben, die derjenige besonders gern mag.

Eine selbst gemalte Partygirlande

Auch die Raumdekoration muss man nicht immer kaufen, eine Party-girlande kann man z. B. leicht selbst basteln. Zunächst zeichnet man die groben Umrisse etwa gleich großer Figuren auf Papier vor. Die Kinder malen diesen Männchen – oder Weibchen – dann ein Gesicht und ein Kostüm. Von Zauberer über Pirat und Hexe bis zum Osterha-sen kann jede Verkleidung gewählt werden. Später schneidet man die Figuren aus und hängt sie Hand an Hand quer durchs Zimmer oder an der Wand entlang.

Quarkbrötchen

Toll für Kindergeburtstage, aber auch zur Teestunde oder einfach zwischen-durch.
Sie sind auch für Kinder leicht alleine zu machen:

Für ca. 15 Quarkbrötchen benötigt man:
250 g Quark
75 g Zucker
6–8 Esslöffel Öl
6-8 Esslöffel Milch
1 Päckchen Vanillezucker
1 Prise Salz
400 g Mehl
1 Päckchen Backpulver

Alles vermengen und gut durch kneten. Dann kleine Brötchen daraus formen und mit Milch bestreichen.
Auf mittlerer Schiene bei 170° C 20–25 Minuten backen.

Sie schmecken besonders lecker mit Butter und Marmelade.

Nachworte

Wir sind Aliens

Man höre und staune, ich stand neulich
mit meinen 34 Jahren zum ersten Mal auf
den Brettern. Nein, nicht auf denen, die die
Welt bedeuten. Ich meine auf Skiern. Da
mein Mann und meine Kinder mit Begeis-
terung Ski fahren, und ich immer nur irgendwo unten am Hang blöde
herumstand, dachte ich mir, ich muss da mal mit. Mein Mann nahm
mich sofort beim Wort und organisierte gleich am nächsten Wochenende Skischuhe und Ski. So eilig hatte ich es eigentlich gar nicht gehabt,
ich hatte da mehr an nächstes oder übernächstes Jahr gedacht. Aber
da stand ich nun plötzlich im Lift – und der Ausstieg kam näher und
näher. Doch irgendwie schaffte ich es, den Bügel von meinem Po zu
trennen und einigermaßen elegant vom Lift wegzukommen. Und schon
ging es los, den Berg runter. Irgendwie ist das Runterfahren gar nicht
so schwer. Es ist wie mit dem Fliegen: Runter kommt man immer. Das
Seltsame an mir war, ich lachte die ganze Zeit und das ziemlich laut.
Das Skifahren machte mir richtig Spaß und ich konnte nicht genug
davon kriegen: schwupps mit dem Lift rauf und wieder runter.
Erst am nächsten Tag beim Frühstück fragten mich meine Kinder:
»Mama, warum hast du eigentlich immer so laut gelacht?« Ich dachte eine Weile darüber nach. Die Komik lag in der Sache an sich. Ich
stellte mir vor, da stehen jetzt Aliens am Hang unten und sehen zu.
Wie komisch muss das für sie aussehen. Da stehen ganz viele Men-
schen auf kleinen länglichen Brettern und lassen sich wie an einem
Fließband nach oben ziehen. Kaum sind sie oben, fahren sie so
schnell es geht wieder nach unten, um dann unbedingt wieder nach
oben zu kommen. Sind wir Menschen nicht seltsam?
So nahm das Gespräch seinen Lauf. Wir stellten uns vor, wir wären
Aliens, was fänden wir alles komisch auf der Welt? Warum gibt es

beim Fußball nur einen Ball? Die Spieler müssten sich nicht so um
den einen kloppen, wenn es mehrere Bälle gäbe. Würden sich die
Menschen aus der Perspektive der Außerirdischen selbst beim Rau-
chen zusehen, wie komisch das aussieht, würden sie es wahrscheinlich
sofort sein lassen. Da zieht man an so einem kleinen Stab, bekommt
ein leicht verklärtes Gesicht und pustet stinkenden Rauch aus Mund
oder Nase wie eine kleine Dampflok.

Und jetzt ging es natürlich erst richtig los. Warum heißt die Gabel eigentlich Gabel? Wir besahen uns verschiedene Dinge und versuchten,
neue Wörter zu finden oder die Wörter einfach zu vertauschen. Wir
stellten fest, dass manche Wörter wirklich ausdrücken, was sie meinen. Und das manche andere plötzlich ganz komisch klingen, wenn
man sie oft hintereinander sagt. Sagen Sie doch mal ganz oft, mal
schnell, mal langsam ›Brot‹: »Brot, Brot, Brot, …« Oder sagen Sie
mal aus tiefstem Herzen zu sich selbst: »Du bist so dumm!«. Ist das
nicht niederschmetternd? Und nun wiederholen Sie diesen Satz mit
derselben Sprachmelodie, aber ersetzen ›dumm‹ durch ›schlau‹.

Wir fragten uns, wer den Dingen die Namen gegeben hat. Wir malten uns aus, wie derjenige, der die Gabel erfunden hatte, da saß,
viele Tage lang, und auf die Erfindung in seiner Hand starrte, bis es
plötzlich aus ihm herausbrach: »GABEL!« Dann stellten wir uns vor,
wie Gott die Dinge benannt hatte: Alle Engel standen schweigend um
ihn herum, die Spannung war groß, die Stille zum Zerreißen. Gott
bekam auf einem Förderband eine Sache nach der anderen geliefert.
Manchmal ging es ganz schnell und manchmal dauerte es sieben
Tage, bis er endlich »TOPF« oder »SCHWAMM« herausbrachte. Der
Erzengel Gabriel, der schon schweißnass neben ihm stand, atmete
dann erleichtert auf und der Engelchor stimmte ein ›Halleluja‹ an.
Petrus beleuchtete das Ding, das jetzt den Namen ›Schwamm‹ trug,
mit einem Sonnenstrahl.

Was ich damit sagen will ist einfach Folgendes: Hören Sie bitte niemals auf, hinzuschauen und hinzuhören. Hören Sie niemals auf, sich
zu wundern und Fragen zu stellen, dann sind Sie den Kindern schon
viel näher und Sie werden sehen, wie das Ihr Leben bereichert. Das
ist LEBEN. Also, wohnst du noch oder LEBST du schon?

Entwarnung!!!

Doch keine Angst, selbst bei uns ist nicht jeden Tag nur Hüpfen, Spielen, Albernsein angesagt. Auch wir kennen schlechte Laune. Es gibt Tage, an denen einfach der Wurm drin ist. Da hilft auch kein fliegender Teppich mehr.
Und alle Fantasie hat nichts damit zu tun, dass wir unseren Kindern nicht trotzdem Grenzen setzen. Grenzen sind für mich genauso wichtig, wie Spaß im Leben. Auch Grenzen machen glücklich. Die Kinder wissen bis hierhin und nicht weiter. Und jeder muss den anderen respektieren. Bei all den Faxen, die ich für und mit meinen Kindern anstelle, möchte ich trotzdem nicht wie ein Depp vor den Kleinen dastehen.
Auch wir sind eine ganz normale Familie. Ich versuche lediglich, festgefahrene Situationen manchmal etwas anders zu lösen. Vielleicht bekomme ich auch eines Tages von meinen Kindern zu hören: »Mensch Mami, du warst oft so schrecklich albern, richtig peinlich.« Wer weiß?

Danke, ...

... Steffi, für ihre grenzenlose Unterstützung!
... Jessica, meiner ›Testmutter‹ für ›Wem gehört der Tag‹!
... Stefanie, für das Fühlspiel und die Quarkbrötchen!
... Frau Peine und Frau Kestel, für die Genesungskerze und das Stoppzeichen!
... Silke, für das Familienmobile und das selbst gemachte Geschenkpapier!
... Buket, für die chinesische Sprache!
... Uli, für die Böseworteschublade!
... Michaela, für die Giftzwerge!
... Sex and the City für ›Dies war der Tag ...‹!
... meiner Mutter für das Stoffprüferbuch, die Flaschenrasseln, die Postkiste und vieles mehr!
... den vielen Kindern, die mir bei diesem Buch geholfen haben:
Jakob, Paulina, Saskia, Maren, Paula, Sophie, Jonas, Nikolas, Anna, Anna, Julius, Emma u. v. a.!

Zur Autorin

Sabine Bohlmann wurde 1969 in München geboren. Nach ihrer Schauspielausbildung spielt sie in diversen TV-Filmen und -Serien mit, wie z.B. ›Pumuckl‹, ›Unser Charly‹, ›Der Alte‹, ›Ein Richter zum Küssen‹, ›Einfach raus‹, ›Happy Holiday‹ sowie von 1992 bis 2004 im ›Marienhof‹. Außerdem ist sie seit 1985 als Synchronsprecherin tätig und leiht u. a. Lisa Simpson und Vanessa Paradies ihre Stimme. 1993 gründet sie zusammen mit ihrem Ehemann Andreas Rümmelein (Industrie-Designer) die kleine Firma ›Art of Bear‹, die ihre Bärenmotive in Lizenz für T-Shirts, Tassen, Glückwunschkarten, Socken u.s.w. verkauft.

1995 kommt ihr Sohn Jakob zur Welt und zwei Jahre später Tochter Paulina, für die sie die ersten Kinderbücher schreibt und illustriert. Die Bücher werden von Freunden, Bekannten und vor allem Nachbarskindern begeistert gelesen. Und dies macht ihr Mut, einen professionellen Schritt zu tun, um auch die Öffentlichkeit an ihren Ideen und Geschichten über die kleinen und großen Probleme des Alltags teilhaben zu lassen.

Register